A-Z BANGOR, CONWY, RHYL
COLWYN BAY

CONTENTS

REFERENCE

A Road *ffordd A*	A55	**Car Park** selected *maes parcio* dethol	P
Under Construction *wrthi'n cael ei adeiladu*		**Church or Chapel** *eglwys neu gapel*	†
Tunnel *twnel*		**Cycle Route** selected *llwybr beic* dethol	
B Road *ffordd B*	B5115	**Fire Station** *gorsaf dân*	■
Dual Carriageway *ffordd ddeuol*		**Hospital** *ysbyty*	H
One Way Street Traffic flow on A Roads is indicated by a heavy line on the driver's left. *stryd un ffordd* nodir llif traffig ar ffyrdd A gan linell drom ar ochr chwith y gyrrwr		**House Numbers** A & B Roads only *rhifau tai* ffyrdd A & B	13 8
Restricted Access *Mynediad cyfyngedig*		**Information Centre** *canolfan wybodaeth*	🛈
Pedestrianized Road *ffordd wedi ei phedestraneiddio*		**National Grid Reference** *cyfeirnod grid cenedlaethol*	²85
Residential Walkway *llwybr preswylwyr*		**Police Station** *gorsaf heddlu*	▲
Track / Footpath *trac / llwybr*		**Post Office** *swyddfa bost*	★
		Toilet *toiled*	▽
		with facilities for the Disabled *gyda chyfleusterau i'r anabl*	♿
Railway *rheilffordd*	Station *gorsaf* Heritage Sta. *gorsaf treftadaeth* Tunnel *twnel* Level Crossing *croesfa wastad*	**Viewpoint** *golygfan*	
Tramway *Llinell tramiau*	The boarding of trams at stations may be limited to a single direction, indicated by an arrow. Mae'n bosib mai dim ond i un eyfeiriad y mae tram yn teithio o orsaf, ac fe nodir hynny gyda saeth.	**Educational Establishment** *sefydliad addysgol*	
		Hospital *ysbyty*	
Built Up Area *ardal adeiledig*	BRICK ST.	**Industrial Building** *adeilad diwydiannol*	
Local Authority Boundary *ffin awdurdod lleol*		**Leisure or Recreational Facility** *cyfleusterau hamdden neu adloniant*	
Postcode Boundary *ffin cod post*		**Place of Interest** *man diddorol*	
Snowdonia National Park Boundary *ffin Parc Cenedlaethol Eryri*		**Public Building** *adeilad cyhoeddus*	
Map Continuation *parhad map*	▲ 15	**Shopping Centre or Market** *canolfan siopa neu farchnad*	
		Other Selected Buildings *adeiladau dethol eraill*	

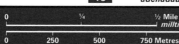

Scale 1:19,000 *graddfa*

0	¼	½ Mile / *milltir*	3⅓ inches (8.47 cm) to 1 mile
0 250 500	750 Metres *metr*	1 Kilometre *kilometr*	5.26 cm to 1 kilometre
			3⅓ modfeddi (8.47 cm) i 1 milltir
			5.26 cm i 1 kilometr

Geographers' A-Z Map Company Limited

Head Office *(prif swyddfa):*
Fairfield Road, Borough Green, Sevenoaks, Kent, TN15 8PP
Telephone *(ffôn):* 01732 781000

Showrooms *(ystafelloedd arddangos):*
44 Gray's Inn Road, London, WC1X 8HX
Telephone *(ffôn):* 020 7440 9500

EDITION *(rhifyn)* 1 2000
Copyright *(hawlfraint)* © Geographers' A-Z Map Co. Ltd. 2000

This map is based upon Ordnance Survey mapping with the permission of The Controller of Her Majesty's Stationery Office.
© Crown copyright licence number 399000. All rights reserved.

Mae'r map hwn yn seiliedig ar fapiau'r Arolwg Ordnans gyda chaniatâd Rheolwr Llyfra Ei Mawrhydi.
© Rhif trwydded hawlfraint y Goron 399000. Cedwir yr holl hawliau.

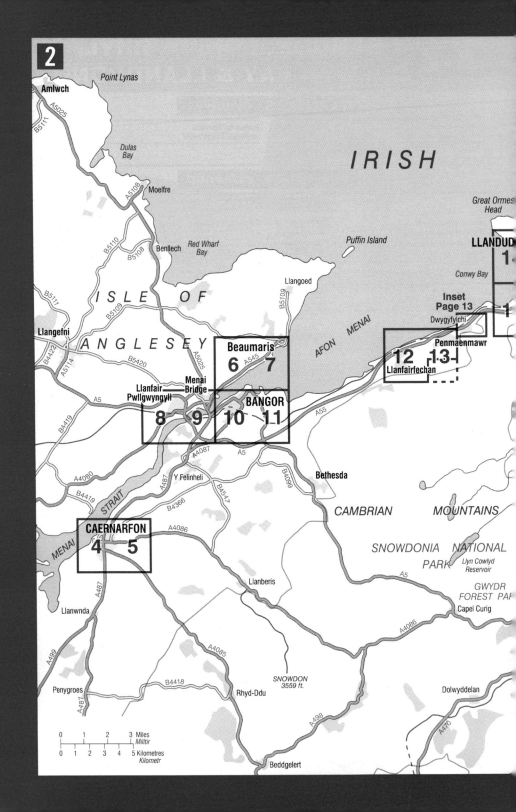

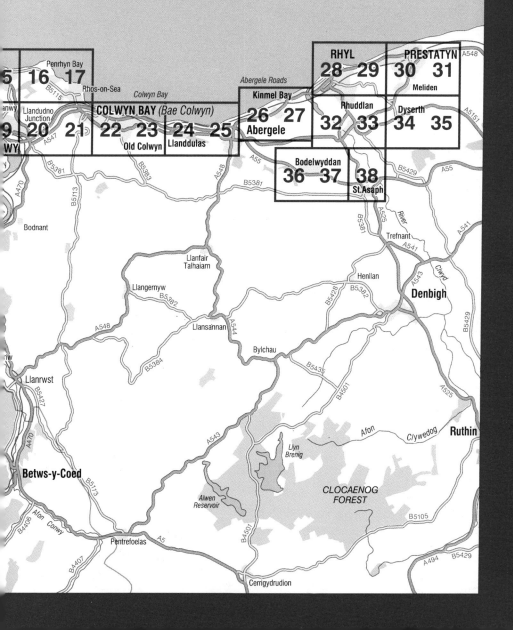

Key to Maps
allwedd i dudalennau'r map

3

SEA

5 | **16** Penrhyn Bay | **17**
Rhos-on-Sea
Colwyn Bay

Llandudno
Junction
9 | **20** | **21** | **COLWYN BAY** *(Bae Colwyn)* **22** | **23** | **24** | **25**
Old Colwyn | Llanddulas

Abergele Roads
Kinmel Bay
26 | **27** Abergele

RHYL
28 | **29**

PRESTATYN
30 | **31**
Meliden

Rhuddlan
32 | **33**

Dyserth
34 | **35**

Bodelwyddan
36 | **37** | **38**
St.Asaph

Bodnant

Llanfair
Talhaiarn

Langernyw

Llansannan

Bylchau

Henllan

Denbigh

Llanrwst

Llyn
Brenig

Ruthin

Betws-y-Coed

Alwen
Reservoir

*CLOCAENOG
FOREST*

Trefnant

Pentrefoelas

Cerrigydrudion

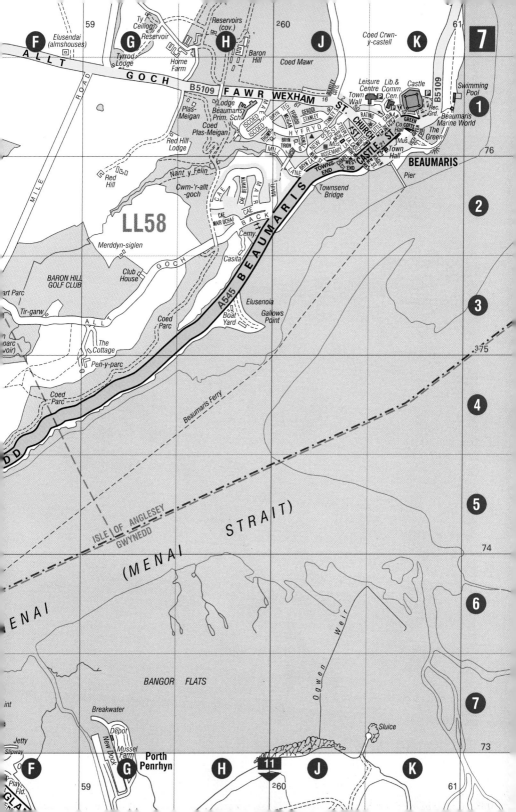

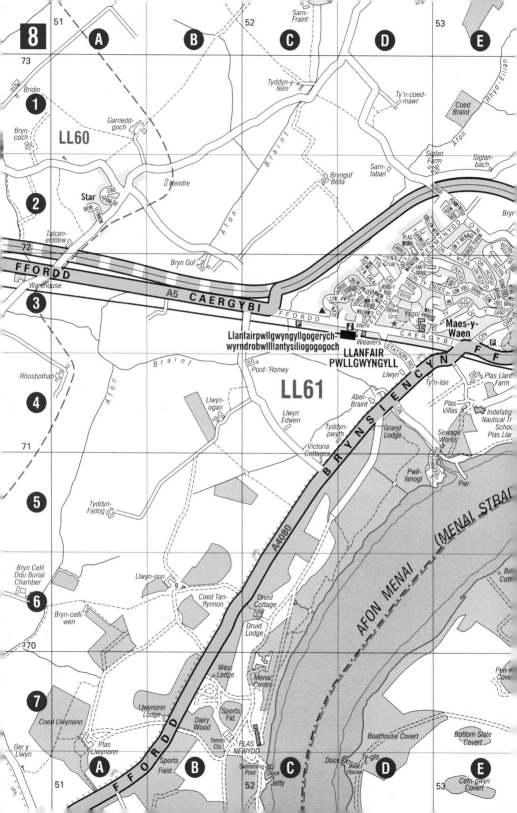

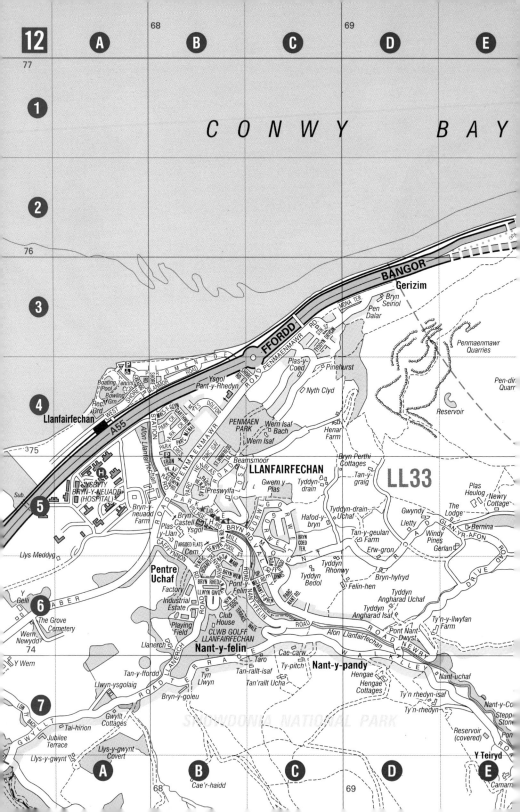

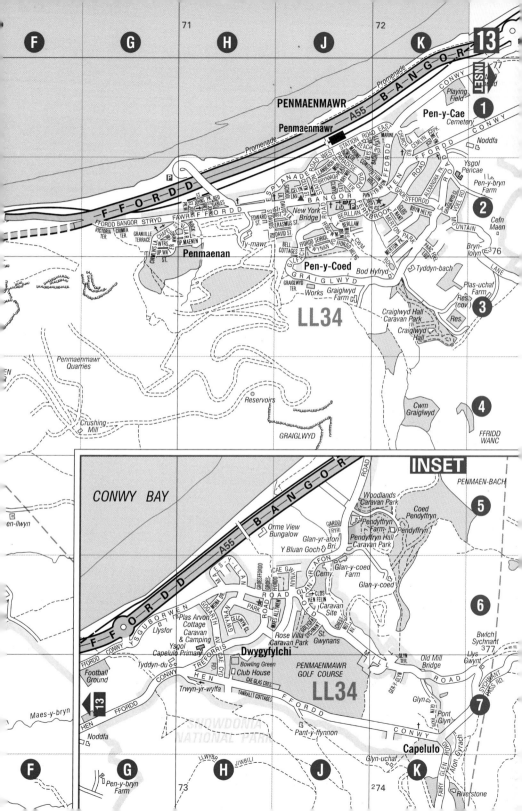

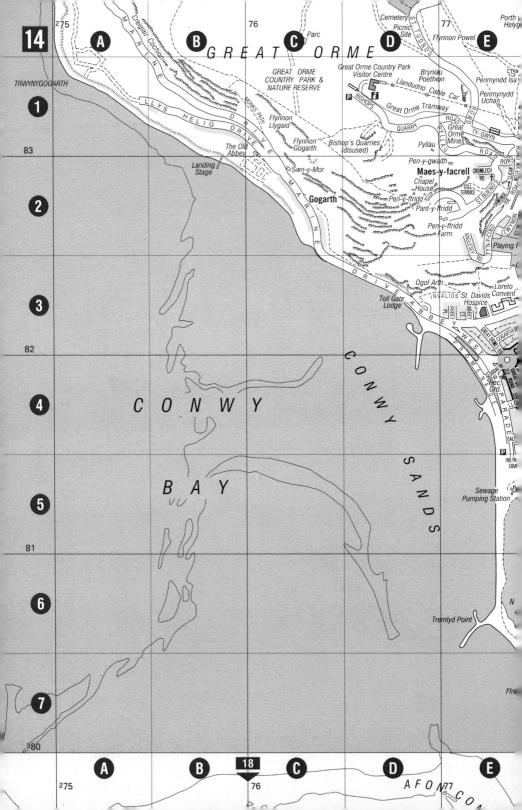

275
76
GREAT 77 **ORME**
Porth y
Helyg

A
B
C
D
E

Cemetery
Picnic
Site
Flynnon Powel

Parc

GREAT ORME
COUNTRY PARK &
NATURE RESERVE

Great Orme Country Park
Visitor Centre

Bryniau
Poethion
Penmynedd Isa

TRWYNYGOGARTH

Llandudno Cable Car

Penmynedd
Uchan

1

Great Orme Tramway

83

BISHOPS

Monks Path

Flynnon
Llygaid

Great
Orme
Mines

Ty-Gwyn

Llys Helig Drive

The Old
Abbey

Flynnon
Gogarth

Bishop's Quarries
(disused)

Pyllau

Road

Quarry

Pen-y-gwaith

Great
Orme
Road

Road

Swn-y-Mor

Pyllau

2

Landing
Stage

Maes-y-facrell

CROMLECH
RD.

Marine

Gogarth

Chapel
House

Pen-y-ffridd

Cyll
Terrace

St. Bueno's

Pant-y-ffridd

Anglesey Rd

St. Bueno's

Road-uchaf-ter

Tyn-y-Coed

Lwyncon

Pen-y-ffridd
Farm

Playing

Drive

3

Ogof Arth

Rd.

Invalids

Toll Gate
Lodge

St. Davids
Hospice

Loreto
Convent

Abbey-y-Pl

Harl...

Gogarth Rd.

82

West

Abbey

Braithwaite Rd.

Parade

Great

Road

4

C O N W Y

C
O
N
W
Y

Glodaeth Rd.

Rec.
Grd.

Dale

Holyr...
Cour...

S
A
N
D
S

5

B A Y

Sewage
Pumping Station

81

6

N

Tremlyd Point

Ffr...

7

380

A F O N   C O...

280 · A · B · 81 · C · D · 82 · E

1

83

2

IRISH

ORMES BAY
OR
LLANDUDNO BAY

Porth
Dyniewaid
Trwyn y Fuwch

CREIGIAU
RHIWLEDYN

LITTLE ORMES
HEAD

LITTLE ORME

3

THE PROMENADE
AV. NANT-Y-GAMAR
82
NS. NTH
ST MARG

C O L W Y N

B5115
RHIWLEDYN
Limpley
Lodge
Craigside
Manor

R O A D

Bryn-Ifan
Siop y roe

Pentre-Isaf

Craigside

BRYN-Y-BIA
ROAD

Sannans
Lodge

Mynydd
Penygarreg

TAN RHIW

4

Canolfan Addysg
y Gogarth

Bodafon Hall
Farm

BODAFON

Bodafon
Hall
Eryl-fryn
Bryn-glas

Ysgol
Bodafon Church
Craig y Nodwydd-ddu

MOUNT PLEASANT
TER.

Penryn-Side

PENRHYN
OLD ROAD

PENRHYN-ISAF

15

Castell

Pantywennol
Mount Pleasant

Pant-uchaf

LL30

WOODBINE LA.

SUNNINGDALE DR.
PENRHYN

PENRHOS GARDN

Nant-y-Gamar
Pen-y-mynydd

Pen-y-cae

Penryn
Hall Farm
Cvn. Pk.

5

Pen-y-ffordd

FRON DEG RD.

Tan-y-coed
Cottage

Mon Dwr

Keeper's
Cottage

DERWEN

Gloddaeth-isaf

81

a Fferm

COED GAER

Ysgol
y Creuddyn

Winllan

PENRHYN BAY

Afon

Morfa
Penrhyn

6

St.Davids
College

Glanwydden
Prim. Sch.

LANRHOS

Tudor
Cottage

Tennis
Courts

COED ISAF

LANE
Tandderwen
Tandderwen
Caravan Park Pen-y-creuddyn
Farm

Glen
Morfa

GWYN
ELL

Playing Field

The Old
Windmill
Tyddyn-
bras

Morfa

PEN-Y-BONT

7

Grodir

Glanwydden

Ty'n-yr-ynn

GLODDAETH

Greengrass
Covert

ON YR EFAIL

Aton
Etail

Aton
Wydden

LL31

Ty-Newydd

Ffridd-y-bont
Covert

A

B

20

C

Waen
Hyfryd

Ffolt

D

Rofft

BRYNPYDEW

E

Winllan
Tair-cornel

280

81

Gilfach

Ty'n-y-celyn

Wigau

82

Bryntirion

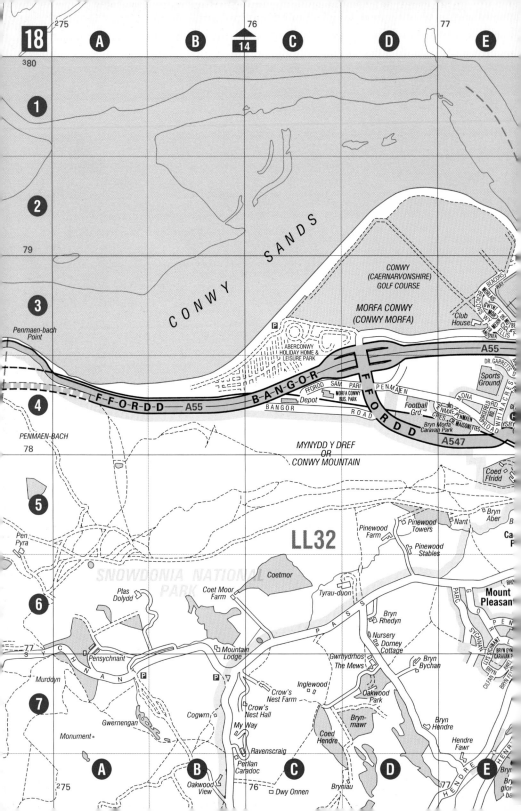

CONWY SANDS

79

CONWY
(CAERNARVONSHIRE)
GOLF COURSE

MORFA CONWY
(CONWY MORFA)

Club
House

BEACONS WAY

Penmaen-bach
Point

P

ABERCONWY
HOLIDAY HOME &
LEISURE PARK

A55

DR. GARRETH

Sports
Ground

FFORDD A55 BANGOR

FFORDD SAM PARI

MORFA CONWY
BUS. PARK

Depot

BANGOR

PENMAEN

FFORDD

ROAD

Football
Grd

ONA

Bryn Morfa
Caravan Park

A547

BROAD

PENMAEN-BACH

78

MYNYDD Y DREF
OR
CONWY MOUNTAIN

Coed
Ffridd

Pen
Pyra

Bryn
Aber

Nant

Pinewood
Towers

Pinewood
Farm

Pinewood
Stables

LL32

SNOWDONIA NATIONAL PARK

Coetmor

Ca
P

Plas
Dolydd

Coet Moor
Farm

Tyrau-duon

PASS

Bryn
Rhedyn

Mount
Pleasant

PARC

SYCHNANT

Mountain
Lodge

Nursery
Dorney
Cottage

Bryn
Bychan

BRYN DYN CARAVAN PARK

Pensychnant

Gwrhydrhos
The Mews

77

S Y C H N A N T

P

Murddyn

P

Crow's
Nest Farm

Inglewood

Oakwood
Park

Bryn
Hendre

Cogwrn

Crow's
Nest Hall

My Way

Bryn-
mawr

Hendre
Fawr

Gwernengan

Ravenscraig

Coed
Hendre

Monument

Perllan
Caradoc

HENDRE

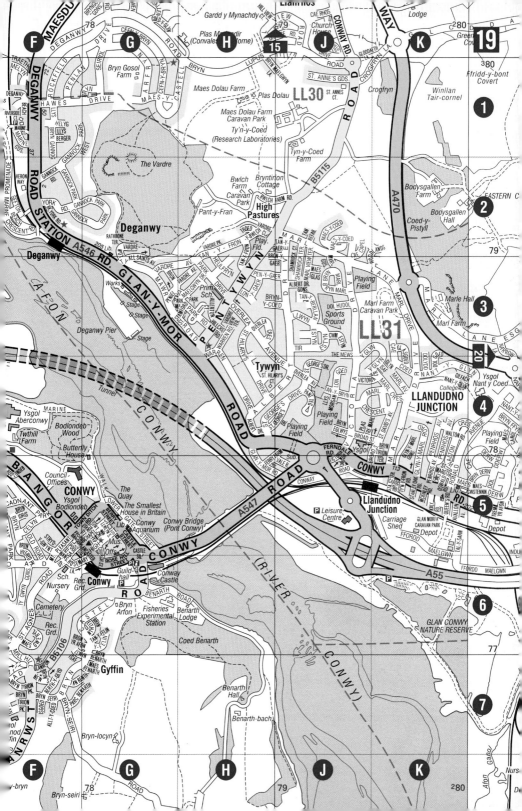

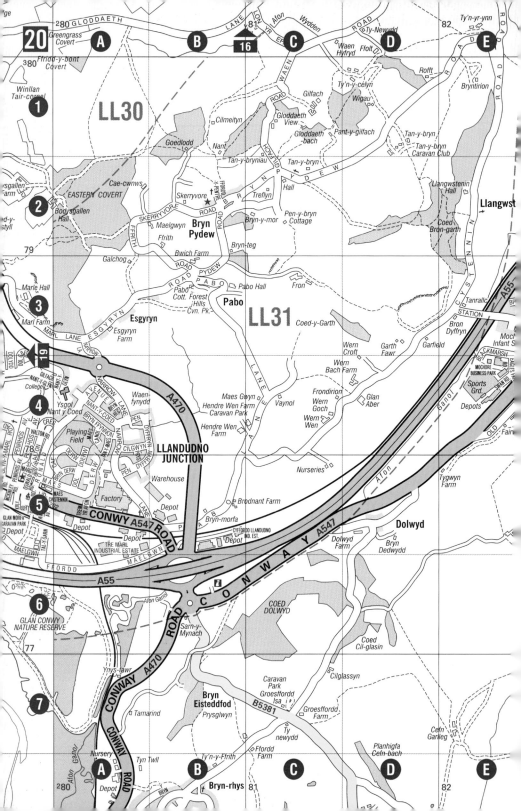

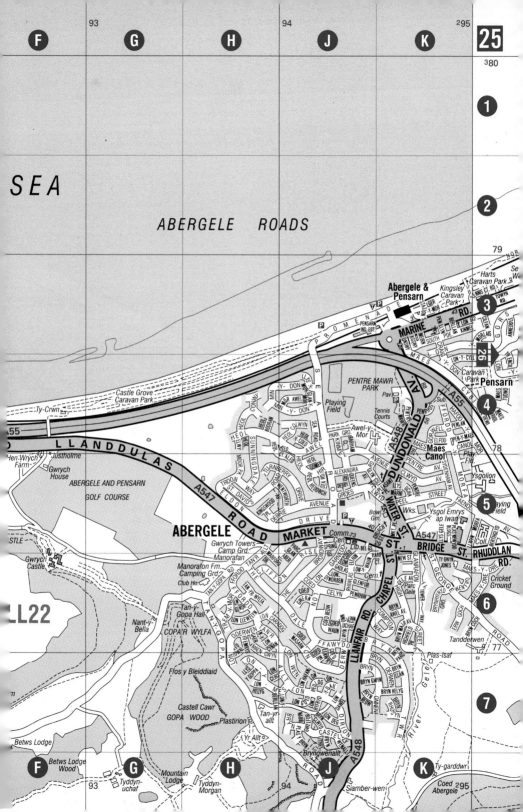

IRISH SEA

LL22

MORFA RHUDDL

TOWYN ROAD

A548

NORTH WALES HOLIDAY CAMP

Abbeyford Country Club

San Remo

Gaingc Holiday

Millers Caravan Park

Morris's Holiday Camp

Sandy Bay Cvn. Pk.

Edwards Leisure Park

Golden Gate Holiday Centre

Cambria Caravan Park

Comm. Cen.

Owen's Gainc Bach

Gainc-bach

Ty Gwyn Caravan Park

Inter Leisure Holiday Park

Caravan Park

Ty-gwyn

Ty Mawr Holiday Park

Henllys Farm Camping & Touring Site

Henllys

Harts Caravan Park

Sewage Works

Kingsley Caravan Park

Belgrano

Pensarn

Caravan Park

Maes Canol

Ysgolion

Playing Field

Play. Fld.

River Gele

BRIDGE ST.

RHUDDLAN RD.

A55

A547 RHUDDLAN RD.

Cricket Ground

Ysgol

Coll.

Pen-y-ffordd

295 96 97

SEA

1

Slip

Tow
Holid

2

North Wales
Bowling Centre
Y-Ffrith

Ffrith Beach
Festival Gardens

The White House
by the Sea
Caravan Park

Miniature Golf
Course

Caravan
Park

VICTORIA 83 RD.

A548 WEST

ROAD

RHODFA
WEN

PENLE
ERLEY

3

30

Plas Morfa
Farm

4

The Cut

382

Ffrith Beach

PROMENADE

GREEN
ROY AV
WEST
PELLA
FERYN
EAST CL.

LANES
JACLYN
ROY DR

EARLSWOOD AV

BRIO
OLDGAR RD.
ALD.

DON
GATE

174

90

SANDHILLS

CERI
AVENUE
MARION RD.

SEABANK

ROAD

ROAD

MORRIS AV.
CATHRINE

CL. Y. FFORDD
FFORDD

MOR
CL.

LLYS
ABA

METHVEN

MARION

STEPHEN
THE
CHARLESTON
REK AV.
CHRISTINA
CL.
DR.
ADELA

CLUB HOUSE

RHYL GOLF LINKS

ROAD VICTORIA

Beulah
Holiday
Camp

GARNET DRIVE

Terfyn Pella
Camp.

Robin Hood
Holiday Camp

COAST

173

The Cut

Lyons Holiday
Park

The Cut

LL19

Pydew

5

Plas Newydd
Farm

Pen-Y-Fr
Caravan

LL18

MYNACH
MAES
LLYS DEWI

FFORDD TYN
BRENIG
FFYRLS

LON
ELAN
LLYS ELAN
LLYS
ADERYN
DU

The New Pines
Caravan Holiday Centre

Pydew
Bungalow

KINMEL
KIN. AV.
LLYS ALARCH
Robin Groft
LLYS COLOMEN

Maes
Gwilym

6

LLYS PERIS
LLYS PADARN
KINMEL

Nursy

LLYS COWLYD

L
T
E
R
H

Rhydwen

Rhydorddwy
Fawr

81

EWELYN
BRO

Maeshyfryd Greenacres

ELAN

Rhydorddwy-
Goch

Four
Winds
Farm

RHOOFA
MAEN
GWYN

Rhydorddwy-wen Covert

B5119

ROA
D

7

Rhyd
Farm

CAMBRIAN WLK.

Cottage
Covert

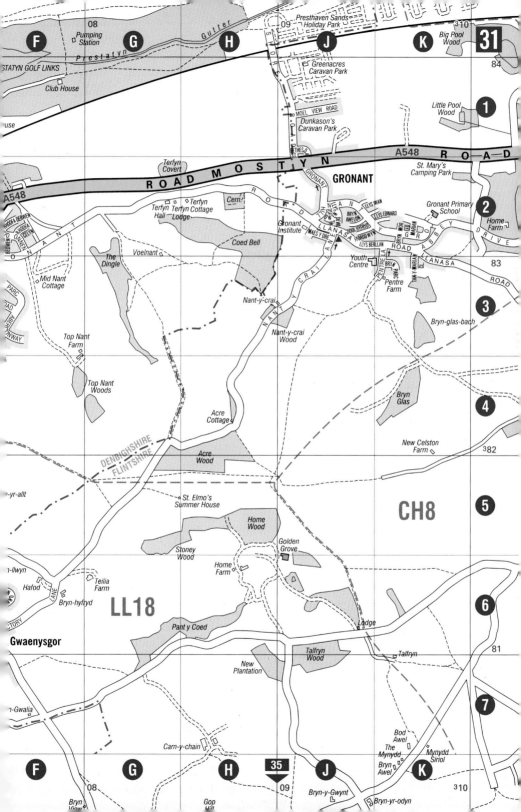

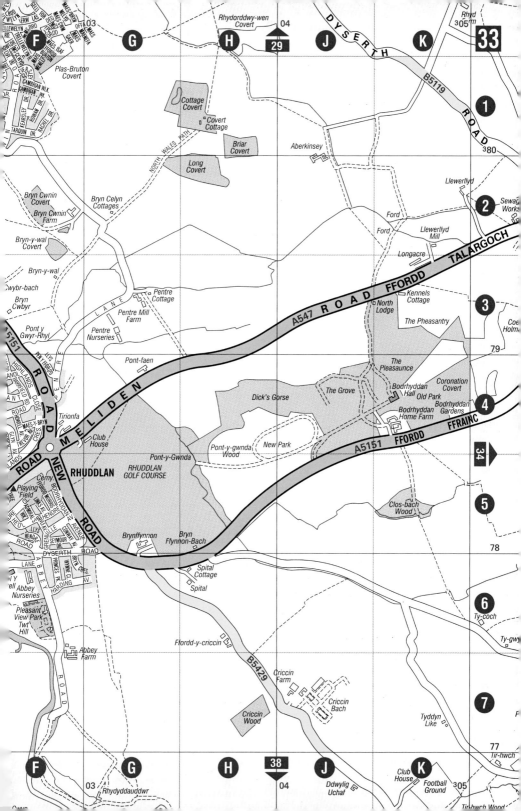

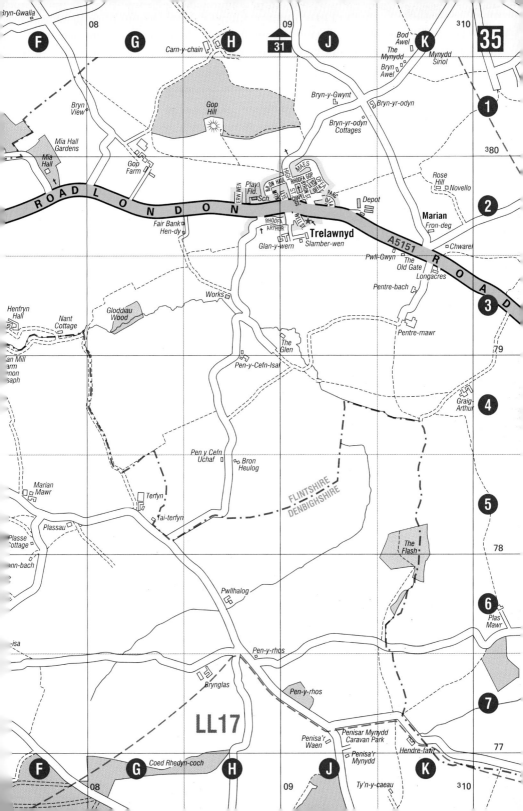

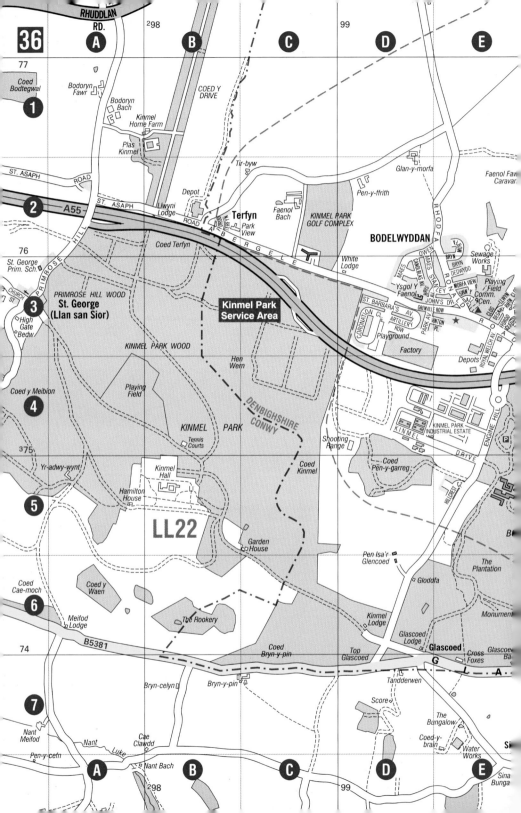

INDEX *Mynegai*

Including Streets, Industrial Estates and Selected Subsidiary Addresses.

Gan gynnwys Strydoedd, Stadau Diwydiannol a Chyfeiriadau Atodol Dethol

HOW TO USE THIS INDEX *Sut i ddefnyddio'r mynegai hwn*

1. Each street name is followed by its Posttown or Postal Locality and then by its map reference; e.g. Abbey Ct. *L'no* —3E **14** is in the Llandudno Posttown and is to be found in square 3E on page **14**. The page number being shown in bold type.
A strict alphabetical order is followed in which Av., Rd., St., etc. (though abbreviated) are read in full and as part of the street name; e.g. Ashdown Clo. appears after Ash Ct. but before Ash Gro.

*Dilynir pob enw stryd gan ei Thref bost neu ei Lleoliad Post, ac yna ei chyfeirnod map; e.e. Mae Abbey Ct. L'no —3E **14** yn Nhref bost Llandudno ac mae hi yn sgwâr 3E ar dudalen **14**. Mae rhif y dudalen wedi ei nodi mewn teip tywyll.*
Glynir yn gaeth wrth drefn y wyddor, gyda Av., Rd., St., ayb (er eu bod wedi eu talfyrru) yn cael eu darllen yn llawn ac fel rhan o enw'r stryd; e.e. mae Ashdown Clo. yn ymddangos ar ôl Ash Ct. ond cyn Ash Gro.

2. Streets and a selection of Subsidiary names not shown on the Maps, appear in the index in *Italics* with the thoroughfare to which it is connected shown in brackets; e.g. *Alexandra Pas. L'no* —3G **15** (off Bodafon St.)

*Mae enwau strydoedd a detholiad o enwau atodol sydd heb eu dangos ar y Mapiau yn ymddangos yn y mynegai mewn print italig gyda'r dramwyfa gysylltiol wedi ei dangos mewn bracedi; e.e. Alexandra Pas. L'no —3G **15** (off Bodafon St.)*

GENERAL ABBREVIATIONS *Talfyriadau Cyffredinol*

All : Alley	Cotts : Cottages	La : Lane	Ri : Rise
App : Approach	Ct : Court	Lit : Little	Rd : Road
Arc : Arcade	Cres : Crescent	Lwr : Lower	Shop : Shopping
Av : Avenue	Cft : Croft	Mc : Mac	S : South
Bk : Back	Dri : Drive	Mnr : Manor	Sq : Square
Boulevd : Boulevard	E : East	Mans : Mansions	Sta : Station
Bri : Bridge	Embkmt : Embankment	Mkt : Market	St : Street
B'way : Broadway	Est : Estate	Mdw : Meadow	Ter : Terrace
Bldgs : Buildings	Fld : Field	M : Mews	Trad : Trading
Bus : Business	Gdns : Gardens	Mt : Mount	Up : Upper
Cvn : Caravan	Gth : Garth	N : North	Va : Vale
Cen : Centre	Ga : Gate	Pal : Palace	Vw : View
Chu : Church	Gt : Great	Pde : Parade	Vs : Villas
Chyd : Churchyard	Grn : Green	Pk : Park	Wlk : Walk
Circ : Circle	Gro : Grove	Pas : Passage	W : West
Cir : Circus	Ho : House	Pl : Place	Yd : Yard
Clo : Close	Ind : Industrial	Quad : Quadrant	
Comn : Common	Junct : Junction	Res : Residential	

POSTTOWN AND POSTAL LOCALITY ABBREVIATIONS *Talfyriadau Trefi Post a Lleoliadau Post*

Aber : Abergele	*Glan* : Glanwydden	*L'hos* : Llanrhos	*Rhu* : Rhuallt
Ban : Bangor	*Glyn* : Glyngarth	*L'wrn* : Llansadwrn	*Rhud* : Rhuddlan
Beau : Beaumaris	*Gron* : Gronant	*L'faen* : Llysfaen	*Rhyd* : Rhyd-y-foel
Bod : Bodelwyddan	*Gwae* : Gwaenysgor	*Maes* : Maesgeirchen	*Rhyl* : Rhyl
Bron : Bron Y Nant	*Gyf* : Gyffin	*Men B* : Menai Bridge	*St As* : St Asaph
Bryn N : Bryn Newydd	*Kin B* : Kinmel Bay	*Moch* : Mochdre	*St G* : St George
Cae : Caeathro	*L'las* : Llanddulas	*Old C* : Old Colwyn	*Star* : Star
C'fon : Caernarfon	*L'fan* : Llandegfan	*P'awr* : Penmaenmawr	*T'bont* : Talybont
Col B : Colwyn Bay	*L'no* : Llandudno	*P'edd* : Penrhosgarnedd	*Tal* : Tal-y-bont
Con : Conwy	*Llan J* : Llandudno Junction	*Pen B* : Penrhyn Bay	*Tan* : Tan-y-lan
Deg : Deganwy	*L'gai* : Llandygai	*P'side* : Penrhynside	*Tow* : Towyn
D'chi : Dwygyfylchi	*Llane* : Llanelian	*Pens* : Pensarn	*Tre* : Treborth
Dys : Dyserth	*L'chan* : Llanfairfechan	*Pres* : Prestatyn	*Trel* : Trelawnyd
Gaer : Gaerwen	*L'yll* : Llanfairpwllgwyngyll	*Rho* : Rhosbodrual	*Tre I* : Tremarl Ind. Est.
Gla C : Glan Conwy	*L'nin* : Llangwstenin	*R Sea* : Rhos On Sea	

INDEX *Mynegai*

Abbey Ct. *L'no* —3E **14**
Abbey Dri. *Gron* —2K **31**
Abbey Dri. *R Sea* —5H **17**
Abbey Gro. *R Sea* —5H **17**
Abbey Pl. *L'no* —3E **14**
Abbey Rd. *Ban* —3D **10**
Abbey Rd. *L'no* —3D **14**
Abbey Rd. *R Sea* —5H **17**
Abbey Rd. *Rhud* —6F **33**
Abbey St. *Rhyl* —6A **28**
Aber Clwyd. *Kin B* —1J **27**
Aberconway Clo. *Pres* —3F **31**
Aberconway Rd. *Pres* —3E **30**
Aberconwy Holiday Home & Leisure Pk. *Con* —3C **18**
Aber Ct. *Pres* —5A **30**
Aber Dri. *L'no* —3B **16**
Abergwyneny Rd. *L'no* —3H **15**
Abergele Rd. *Col B & Old C* —3K **21** (in two parts)
Abergele Rd. *L'las* —7K **27**
Abergele Rd. *L'las & Bod* —2B **36**
Aber Pl. *L'no* —3B **16**
Aber Rd. *L'chan* —6A **12**
Aber Rd. *Pres* —2D **30**
Adele Av. *Pres* —3K **29**
Adelphi St. *L'no* —3H **15**
Admiral's Wlk. *Rhud* —5F **33**
Ael y Broch. *Col B* —4K **21**
Ael-y-Bryn. *L'no* —3B **16**
Ael-y-Bryn Rd. *Col B* —3K **21**

Ael-y-Garth. *C'fon* —3D **4**
Agnes Gro. *Col B* —3A **22**
Ainon Clo. *Ban* —4C **10**
Ala Las. *C'fon* —2D **4**
Albert Dri. *Deg* —4H **19**
Albert Dri. Gdns. *Deg* —3J **19**
Albert Gdns. *L'no* —5J **15**
Albert Pl. *Col B* —3A **22**
Albert Rd. *Old C* —3D **22**
Albert St. *L'no* —3G **15**
Albert St. *Rhyl* —6C **28**
Albion St. *L'no* —3G **15**
Aled Av. *Rhyl* —7C **28**
Aled Ct. *Aber* —4J **25**
Aled Dri. *R Sea* —7G **17**
Aled Gdns. *Kin B* —2G **27**
Alexanders Way. *Kin B* —2J **27**
Alexandra Dri. *Pres* —5A **30**
Alexandra Pk. *P'awr* —2K **13**
Alexandra Pas. L'no —3G **15** (off Bodafon St.)
Alexandra Rd. *Aber* —5J **25**
Alexandra Rd. *Col B* —2J **21**
Alexandra Rd. *L'no* —6F **15**
Alexandra Rd. *Rhyl* —4C **28**
Alice Gdns. *L'no* —5J **15**
Allanson Rd. *R Sea* —7H **17**
Allerton Ct. *Deg* —3H **19**
All Saints Av. *Deg* —3G **19**
Allt Cadnant. *C'fon* —4D **4**
Allt Cichle. *L'fan* —7A **6**

Allt Dewi. *Ban* —4C **10**
Allt Glanrafon. *Ban* —2D **10**
Allt Goch Bk. *Beau* —3G **7**
Allt Goch Fawr. *Beau* —1F **7**
Allt Pafiliwn. *C'fon* —4D **4**
Alltwen. *L'faen* —5K **23**
Allt-y-Castell. *C'fon* —4C **4**
Allt-y-Coed. *Con* —7F **19**
Allt y Graig. *Dys* —1B **34**
Alma St. *Beau* —2J **7**
Alpine Rd. *Old C* —5E **22**
Alwen Dri. *R Sea* —7F **17**
Anglesey Rd. *L'no* —2E **14**
Aquarium Cres. *Rhyl* —6A **28**
Aquarium St. *Rhyl* —6A **28**
Archers Grn. *Pres* —3A **30**
Ardre Clo. *P'awr* —2J **13**
Arfon Av. *Pres* —4H **29**
Arfon Gro. *Rhyl* —7B **28**
Arfryn. *L'no* —7G **15**
Argoed. *Kin B* —4H **27**
Argoed Flats. *L'chan* —5B **12**
Argyll Rd. *L'no* —4H **15**
Arnold Clo. *Beau* —5A **30**
Arnold Gdns. *Kin B* —2G **27**
Arran Dri. *Rhyl* —1D **32**
Arran Rd. *R Sea* —1G **21**
Artillery Row. *Bod* —3D **36**
Arvon Av. *L'no* —2F **15**
Arvonia Pas. *L'no* —3F **15**
Ascot Dri. *Rhyl* —1D **32**

Ash Ct. *Rhyl* —6E **28**
Ashdown Clo. *Col B* —5H **21**
Ash Gro. *Kin B* —2H **27**
Ash Gro. *Pres* —3D **30**
Ashley Rd. *Ban* —2E **10**
Ashly Ct. *St As* —6B **38**
Aspen Gro. *Kin B* —2H **27**
Aspen Wlk. *Rhyl* —5F **29**
Assheton Ter. *C'fon* —5D **4** (off Henwalia)
Astley Ct. *Kin B* —1H **27**
Augusta St. *L'no* —3G **15**
Avallon Av. *Llan J* —5K **19**
Avenue, The. *Bryn N* —3E **30**
Avenue, The. *Pres* —4D **30**
Avondale Dri. *Rhyl* —6F **29**
Awelon. *Tow* —4F **27**
Awelon Mor. *Pres* —2B **30**
Awel-y-Mor. *R Sea* —7H **17**

Bk. Bay View Rd. *Col B* —3A **22**
Bk. Belgrave Rd. *Col B* —3A **22**
Bk. Bod-Hyfryd Rd. L'no —2F **15** (off Bod-Hyfryd Rd.)
Bk. Charlton St. *L'no* —3G **15**
Bk. East Pde. *L'no* —3J **15**
Bk. Madoc St. *L'no* —3G **15**
Bk. McKinley Rd. Llan J —5K **19** (off McKinley Rd.)
Bk. Regent St. *Ban* —2D **10**

Edgbaston Rd.—Glan Traeth

Edgbaston Rd. Rhyl —5F 29
Edge Hill. Ban —7E 6
Edward Henry St. Rhyl —6A 28
Edwards St. L'no —3G 15
Edward St. P'awr —2H 13
Egerton Rd. Col B —2J 21
Eirian Av. Kin B —3J 27
Eirias Rd. Col B —4B 22
Elan Rd. L'no —5H 15
Eldon Dri. Aber —5H 25
Eleanor Rd. Old C —3D 22
Eleri Clo. Rhyl —1D 32
Elfod. Aber —4K 25
Elian Rd. Col B —4B 22
Elizabeth Vs. L'no —5F 15
Ellesmere Rd. Col B —2K 21
Ellis Av. Old C —4G 23
Ellis Av. Rhyl —7A 28
Ellis Way. Con —3E 18
Elm Gro. Rhyl —5D 28
Elmsway Dri. Pres —4D 30
Elwy Av. Dys —5B 34
Elwy Circ. Kin B —3J 27
Elwy Cres. St As —6B 38
Elwy Dri. Rhyl —6C 28
Elwy Gdns. L'no —5J 15
Elwy Pl. St As —6C 38
(off Luke St.)
Elwy Rd. R Sea —6H 17
Elwy St. Rhyl —6B 28
Elwy Ter. St As —6C 38
(off Luke St.)
Elwy Vw. St As —6C 38
(off Mill St.)
Emery Down. L'no —5J 15
Emlyn Gro. Rhyl —6A 28
Endsleigh Rd. Old C —4E 22
Engine Hill. Bod —4E 36
Epworth Rd. Rhyl —2E 32
Erasmus St. P'awr —2J 13
Erddig Clo. L'no —6H 15
Ernestine Vs. L'no —5F 15
Ernest St. Rhyl —6C 28
Erskine Rd. Col B —3A 22
Erskine Ter. Con —5G 19
Erw Goch. Aber —6K 25
Erw Lan. St As —5B 38
Erw Las. Rhyl —7F 29
Erw Wen. Cae —6G 5
Erw Wen. L'las —4A 24
Erw Wen. Trel —2H 35
Erw-Wen Rd. Col B —3A 22
Eryl Pl. L'no —4F 15
Esgyryn Rd. Llan J —3A 20
Esplanade. P'awr —2H 13
Eton Pk. Rhud —5E 32
Everard Rd. R Sea —7J 17
Eversley Clo. Rhyl —1F 33
Ewloe Dri. L'no —6H 15
Exell Rd. R Sea —7H 17
Exeter Clo. Pres —3A 30

Faenol Av. Aber —5K 25
Fairfield Av. Rhyl —5C 28
Fairfield Clo. Pen B —5D 16
Fairlands Cres. Rhud —5F 33
Fair Mt. Old C —4D 22
Fairview. Men B —2K 9
Fairview Av. Pres —4C 30
Fairview Cres. Pres —4C 30
Fairway. R Sea —6H 17
Fairways. L'no —5F 15
Fairy Glen. Old C —4D 22
Fairy Glen Rd. P'awr —7K 13
Farrington Ct. Pen B —5C 16
Feol Vw. Rd. Rhyl —7E 28
Ferguson Av. Pres —2K 29
Fern Av. Pres —3D 30
Fernbrook Rd. P'awr —2J 13
Fern Clo. Rhyl —5F 29
Ferndale Rd. Llan J —4J 19
Fern Wlk. Rhyl —5E 28
Fern Way. Rhyl —5E 28
Ferry Farm Rd. Llan J —5H 19
Fferm Bach Rd. L'no —5K 15
Fferm La. L'no —5J 15
Ffordd Aber. Rhud —4E 32
Ffordd Ainon. Ban —4C 10
Ffordd Angharad. L'yll —3D 8
Ffordd Anwyl. Rhyl —6E 28
Ffordd Bangor. C'fon —2E 4
Ffordd Bangor. Con —4A 18
Ffordd Bangor. D'chi —6G 13
Ffordd Bangor. L'chan —3C 12
Ffordd Bangor. P'awr —2G 13
Ffordd Beaumaris. Men B —1A 10
Ffordd Belmont. Ban —3A 10
Ffordd Bethel. C'fon —3E 4
Ffordd Bont Saint. C'fon —7D 4
Ffordd Bronwydd. Tre —6H 9
Ffordd Bryniau. Pres —7C 30
Ffordd Bryn Melyd. Pres —6C 30
Ffordd Brynsiencyn. L'yll —7A 8
Ffordd Bugail. Col B —5B 22
Ffordd Burton. Rhyl —7F 29
Ffordd Bwclae. Ban —1D 10
Ffordd Cadnant. Men B —2K 9
Ffordd Cae Garw. Rho —4G 5
Ffordd Cae Glas. Rhud —4F 33
Ffordd Caergybi. Ban —4K 9
Ffordd Caergybi. Gaer & L'yll —3A 8
Ffordd Caernarfon. Ban —7A 10
Ffordd Cambria. Men B —3K 9
Ffordd Ceiriog. Ban —2E 10
Ffordd Celyn. Col B —5B 22
Ffordd Cibyn. C'fon —4F 5
Ffordd Coed Helen. C'fon —4C 4
Ffordd Coed Marion. C'fon —4F 5
Ffordd Coed Mawr. Ban —5B 10
Ffordd Conwy. P'awr —2K 13
Ffordd Craiglun. Kin B —4K 27
Ffordd Craig y Don. Ban —2D 10
Ffordd Crwys. Ban —7J 9
Ffordd Cwellyn. C'fon —3E 4
Ffordd Cwm. P'awr —2J 13
Ffordd Cwstenin. C'fon —5D 4
Ffordd Cwstenin. Moch —3F 21
Ffordd Cynan. Ban —6J 9
Ffordd Cynan. Men B —2K 9
Ffordd Cynfal. Ban —3C 10
Ffordd Dawel. Col B —5B 22
Ffordd Deiniol. Ban —3D 10
Ffordd Denman. Ban —4C 10
Ffordd Derwen. Rhyl —1C 32
Ffordd Dewi. L'no —4H 15
Ffordd Dewi. Rhud —5F 33
Ffordd Dinas. L'chan —6C 12
Ffordd Dulyn. L'no —5F 15
Ffordd Dwyfor. L'no —5H 15
Ffordd Dyffryn. Moch —2F 21
Ffordd Eithinog. Ban —4A 10
Ffordd Elan. Rhyl —5F 29
Ffordd Elfed. Ban —4F 11
Ffordd Elias. Col B —4G 23
Ffordd Elidir. C'fon —3E 4
Ffordd Elisabeth. L'no —5G 15
Ffordd Emrys. Aber —6H 25
Ffordd Eryr. Moch —3F 21
Ffordd Eryri. C'fon —5E 4
Ffordd Euryn. Moch —3F 21
Ffordd Euston. Ban —3C 10
Ffordd Farrar. Ban —3D 10
Ffordd Felin Seiont. C'fon —6D 4
Ffordd Ffriddoedd. Ban —3B 10
Ffordd Ffynnon. Dys —5B 34
Ffordd Ffynnon. Pres —5A 30
Ffordd Ffynnon. Rhud —4E 32
Ffordd Ganol. Rhud —4E 32
Ffordd Gth. Ban —2E 10
Ffordd Gth. Uchaf. Ban —1E 10
Ffordd Gelli Morgan. Ban —7G 9
Ffordd Glascoed. C'fon —3F 5
Ffordd Glynne. Ban —1E 10
Ffordd Gobaith. Moch —2F 21
Ffordd Gorad. Ban —1C 10
Ffordd Gwelfryn. Aber —5A 26
Ffordd Gwenllian. L'yll —3D 8
Ffordd Gwilym. Pres —7B 30
Ffordd Gwyndy. P'edd —6K 9
Ffordd Gwynedd. Ban —2E 10
Ffordd Gwynedd. L'no —4H 15
Ffordd Hafryn. Col B —5B 22
Ffordd Helyg. P'awr —2J 13
Ffordd Hendre. Ban —5B 10
Ffordd Hendrewen. Ban —4C 10
Ffordd Hwfa. Ban —2D 10
Ffordd Idwal. Aber —7H 25
Ffordd Isaf. Col B —3G 21
Ffordd Islwyn. Ban —1E 10
Ffordd Landygai. Ban —2G 11
Ffordd Las. L'no —4H 15
Fforddlas. Pres —3D 30
Ffordd Las. Rhyl —7B 28
Ffordd Llanbeblig. C'fon —5E 4
Ffordd Llanberis. C'fon —4E 4
Ffordd Llyn Goch. Gwae —7E 30
Ffordd Maelgwn. Tre I —5K 19
Ffordd Maes Barcer. C'fon —4E 4
Ffordd Marchlyn. C'fon —3E 4
Ffordd Marian. Gron —2K 31
Ffordd Meigan. Beau —1J 7
Ffordd Meirion. Ban —1D 10
Ffordd Menai. Ban —5K 9
Ffordd Menai. C'fon —2E 4
Ffordd Mona. Men B —2J 9
Ffordd Morfa. L'no —4H 15
Ffordd Morris. Rhud —5F 33
Ffordd Mynach. Moch —3E 20
Ffordd Nant. Kin B —4K 27
Ffordd Nant. Rhud —4E 32
Ffordd Newydd. St As —7B 38
Ffordd Offa. Rhyl —7F 29
Ffordd Onnen. Pres —2F 31
Ffordd Pafiliwn. C'fon —4D 4
Ffordd Pandy. C'fon —4F 5
Ffordd Pandy. Col B —4B 22
Ffordd Pant. C'fon —7C 4
Ffordd Pantycelyn. Pres —5A 30
Ffordd Parc Bodnant. Pres —2D 30
Ffordd Parc Castell. Bod —3E 36
Ffordd Penchwintan. Ban —4B 10
Ffordd Penclip. Men B —2K 9
Ffordd Pendyffryn. Pres —3C 30
Ffordd Penlan. Ban —7G 9
Ffordd Penmynydd. L'yll —3D 8
Ffordd Pennant. Pres —7B 30
Ffordd Penrhos. P'edd —7H 9
Ffordd Penrhwylfa. Pres —3A 30
Ffordd Penrhyn. L'no —4H 15
Ffordd Pentraeth. Men B —1H 9
Ffordd Pen y Bryn. Ban —2F 11
Ffordd Penybryn. C'fon —7D 4
Ffordd Penyffridd. Ban —5A 10
Ffordd Rhiannon. L'yll —3D 8
Ffordd Sackville. Ban —3D 10
Ffordd Sam Pari. Con —4C 18
Ffordd Santes Helen. C'fon —4C 4
Ffordd Segontiwm. C'fon —5D 4
Ffordd Seiriol. P'awr —2J 13
Ffordd Siarl. St As —5B 38
Ffordd Siglen. Col B —4B 22
Ffordd Siliwen. Ban —2D 10
Ffordd Talargoch. Dys —3K 33
Ffordd Talargoch. Pres —7C 30
Ffordd Tan'r Allt. Aber —6H 25
Ffordd Tanrallt. Pres —7C 30
Ffordd Tan y Bryn. Ban —2F 11
Ffordd Tegai. Ban —3F 11
Ffordd Tegid. Ban —2E 10
Ffordd Teifion. L'yll —2E 8
Ffordd Telford. Men B —3K 9
Ffordd Terfyn. Bod —2B 36
Ffordd Tirionfa. Col B —4E 22
Ffordd Treborth. Ban —6J 9
Ffordd Trem Deg. Ban —1F 11
Ffordd Triban. Col B —4H 21
Ffordd Tudno. L'no —4H 15
Ffordd Tyn Clwt. Ban —6K 9
Ffordd ty Newydd. Pres —7B 30
Ffordd Tysilio. Men B —2J 9
Ffordd Uchaf. Col B —3G 21
Ffordd Victoria. C'fon —4D 4
Ffordd Waunfawr. Cae —5F 5
Ffordd Wern. C'fon —4F 5
Ffordd Wyn. Gron —2J 31
Ffordd-y-Berllan. Tow —5F 27
Ffordd-y-Bryn. Moch —2F 21
Ffordd y Castell. Ban —3F 11
Ffordd y Coleg. Ban —2D 10
Ffordd y Coleg. Men B —2K 9
Ffordd y Fair. Men B —2K 9
Ffordd-y-Fedwen. Col B —5B 22
Ffordd y Fynnon. Ban —2E 10
Ffordd y Gogledd. C'fon —3D 4
Ffordd y Graig. L'las —4A 24
Ffordd-y-Graig Old C —4G 23
Ffordd-y-Llan. L'faen —5H 23
Ffordd y Llyn. Ban —7G 9
Ffordd-y-Maer. Moch —3F 21
Ffordd y Morfa Aber —4K 25
Ffordd y Paced. Men B —3K 9
Ffordd y Parc. Ban —6G 9
Ffordd-y-Pentre. Bryn P —2B 20
Ffordd y Plas. Ban —7G 9
Ffordd yr Aber. C'fon —5A 4
Ffordd yr Orsaf. Ban —3D 10
Ffordd yr Orsedd. L'no —5G 15
Ffordd Ysgubor Goch. C'fon —4E 4
Ffordd y Tywysog. Ban —2D 10
Fforrd Ffrith. Pres —3B 30
Ffrith Rd. Bryn P —2A 20
Ffynnongroew Rd. Rhyl —6B 28
Ffynnon Sadwrn La. L'no —3A 16
Field St. Ban —2C 10
First Av. Pres —1B 30
First Av. R Sea —6G 17
Foel Ct. Dys —4B 34
Foel Pk. Dys —4B 34
Foel Rd. Dys —3C 34
Foreshore Pk. R Sea —5H 17
Foryd Rd. Kin B —2G 27
Four Crosses. Tre —6H 9
Frances Av. Rhyl —1D 32
Francis Av. R Sea —1H 21
Franklyn Av. Pres —4H 29
Frank Vs. L'no —5F 15
Frederick St. Rhyl —7A 28
Friars Av. Ban —2F 11
Friar's Rd. Ban —2F 11
Fron Cres. L'chan —6C 12
Fron Deg. L'fan —6B 6
Frondeg. L'yll —2E 8
Fron Deg Rd. P'side —5C 16
Fron Farm. Men B —1H 9
Fron Haul. St As —6D 38
Fron Heulog. Men B —1H 9
Fron Pk. Av. L'chan —5B 12
Fron Rd. Old C —4C 22
Fron Uchaf. Col B —5J 21

Gadlas Rd. L'faen —6K 23
Gadlys La. Beau —2J 7
(off Castle St.)
Gaingc Rd. Tow —4D 26
Gallt y Sil. C'fon —5E 4
Gamar Rd. L'faen —5K 23
Gamlin St. Rhyl —6B 28
Gannock Pk. Deg —2F 19
Gannock Pk. W. Deg —2F 19
Gannock Rd. Deg —2F 19
Gaol St. Beau —1J 7
Garage St. L'no —4H 15
Gardd Denman. Ban —4C 10
Gardd Eryri. P'awr —5J 13
Garden Dri. Pen B —5E 16
Garden St. L'no —3G 15
Gareth Clo. Rhyl —7D 28
Garford Rd. Rhyl —4E 28
Garnett Av. Rhyl —7A 28
Garnett Dri. Pres —4H 29
Gth. Clarendon. Kin B —4J 27
Gth. Gopa. L'las —4B 24
Gth. Mill. Ban —1E 10
Gth. Morfa. Kin B —4J 27
Garth Rd. Old C —4B 22
Garth Rd. N. Moch —3F 21
Garth Rd. S. Moch —3F 21
Garthwen. L'chan —4B 12
Garwyn Av. Pres —6B 30
Gele Av. Aber —6K 25
Gelli For. Rhyl —7F 29
Gemig St. St As —6C 38
George St. L'no —3G 15
Gerddi. Glyn —6C 6
Gerddi Menai. C'fon —2D 4
Gerddi'r Morfa. Con —4E 18
Gerddi Stanley. Beau —1J 7
Ger-y-Glyn. D'chi —7K 13
Ger-y-Mor. Aber —3K 25
Ger y Mynydd. Ban —2E 10
Geufron. Rhyl —6C 28
Geulan Rd. L'faen —6H 23
Gilfach. Llan J —4K 19
Gilfach Goch. Men B —1J 9
Gilfach Rd. Llan J —2C 20
Gilfach Rd. P'awr —3J 13
Gilfach Wen. Men B —1J 9
Gillian Clo. Rhyl —1E 32
Gillian Dri. Rhyl —2E 32
Gipsy La. Kin B —4A 32
Gladys Gro. Col B —3A 22
Glanaber Trad. Est. Rhyl —6D 28
Glanafon Ter. Con —7F 19
Glan Cadnant. C'fon —4E 4
Glandwr. Pres —3A 30
Glandwr Cres. Kin B —3H 27
Glan Ffyddion. Dys —2A 34
Glan Llyn. L'yll —3C 8
Glan Menai. Tre —6H 9
Glan Mor. C'fon —4C 4
Glan Mor. Pres —2C 30
Glan Morfa. Tow —4F 27
Glan Morfa Cvn. Pk. Llan J —5K 19
Glanmorfa Ind. Est. Rhyl —1A 32
Glanmor Rd. L'chan —4B 12
Glan Mor Ucha. C'fon —4C 4
Glan Peris. C'fon —4F 5
Glanrafon. Aber —6K 25
Glanrafon. Ban —2D 10
Glanrafon Av. L'no —3B 16
Glanrafon Ter. St As —6C 38
(off Lower St.)
Glan Rd. Moch —3F 21
Glan Seiont. C'fon —6E 4
Glan Traeth. Ban —2G 11
Glan Traeth. Pres —2C 30

42 A-Z Bangor

Glanyfelin. *L'fan* —6B **6**
(off Caerfelin)
Glan-y-Gors. *Pres* —3B **30**
Glan-y-Mor. *Aber* —4J **25**
Glan-y-Mor. *C'fon* —4C **4**
Glan y Mor Pde. *L'no* —2G **15**
Glan y Mor Pas. *L'no* —3G **15**
(off Glan y Mor Pde.)
Glan-y-Mor Rd. *Deg & Llan J*
—3G **19**
Glan-y-Mor Rd. *Pen B* —4D **16**
Glan-y-Mor Rd. *Tan* —3F **23**
Glan-yr-Afon Rd. *D'chi* —6J **13**
Glan-yr-Afon Rd. *L'chan* —5E **12**
Glan-y-Wern. *Moch & Bron* —2F **21**
Glas Coed. *Col B* —5G **23**
Glascoed Av. *Pres* —6C **30**
Glascoed Rd. *Aber* —7E **36**
Glasfryn Av. *Pres* —6C **30**
Glendower Ct. *Rhyl* —5C **28**
(off Kinard Dri.)
Glenfor. *Aber* —6J **25**
Gloddaeth Av. *L'no* —4E **14**
Gloddaeth Cres. *L'no* —3H **15**
Gloddaeth La. *L'no* —1J **19**
(in two parts)
Gloddaeth St. *L'no* —3F **15**
Gloddaeth Vw. *Pen B* —5C **16**
Glyn Av. *Aber* —5J **25**
Glyn Av. *Col B* —5B **22**
Glyn Av. *Pres* —3D **30**
Glyn Av. *Rhud* —4F **33**
Glyn Av. *Rhyl* —7E **28**
Glyn Circ. *Kin B* —3J **27**
Glyndwr Rd. *L'faen* —5K **23**
Glyn Gth. Ct. *Men B* —6C **6**
Glyn Gth. M. *Glyn* —6C **6**
Glyn Isaf. *Llan J* —4K **19**
Glyn Path. *D'chi* —7K **13**
Glyn Ter. *P'awr* —7K **13**
Glyn-y-Marl Gdns. *Llan J* —5K **19**
Glyn-y-Marl Rd. *Llan J* —5K **19**
Gogarth Av. *D'chi* —6H **13**
Gogarth Rd. *L'no* —3E **14**
Golden Gro. *Rhyl* —1D **32**
Goleufryn. *Ban* —6K **9**
Golygfa Sychnant. *D'chi* —6J **13**
Gomer Ct. *Aber* —5J **25**
(off Heol Gomer)
Gordon Av. *Pres* —5C **30**
Gordon Av. *R Sea* —6H **17**
Gordon Av. *Rhyl* —6A **28**
Gorlan. *Con* —6E **18**
Gorllewin Twthill. *C'fon* —4D **4**
Goronwy Gdns. *Pen B* —5E **16**
Gorphwysfa Av. *Pres* —2C **30**
Gorsefield Rd. *Con* —4E **18**
Gors Goch. *Men B* —1J **9**
Gors Las. *Men B* —2J **9**
Gors Rd. *Tow* —4F **27**
(in three parts)
Gorwel. *L'chan* —5C **12**
Gorwell. *Aber* —4K **25**
Gower Rd. *Moch* —2F **21**
Graham Av. *Pres* —6B **30**
Graham Dri. *Rhyl* —5D **28**
Graiglwyd Clo. *P'awr* —2K **13**
Graiglwyd Rd. *P'awr* —3J **13**
Graiglwyd Ter. *P'awr* —3J **13**
Grange Av. *Rhyl* —6D **28**
Grange Ct. *Rhyl* —6B **28**
Grange Rd. *Col B* —4A **22**
Grange Rd. *L'hos* —7H **15**
Grange Rd. *Rhyl* —6C **28**
Granville Ter. *P'awr* —2G **13**
Grasmere Clo. *Pres* —3B **30**
Grass Rd. *G'rdd M* —7E **36**
Gt. Ormes Rd. *L'no* —3E **14**
Green Av. *Kin B* —3K **27**
Green Bank. *Ban* —7F **7**
Green Cotts. *Beau* —1K **7**
Green Edge. *Beau* —1K **7**
Greenfield Rd. *Col B* —3A **22**
Greenfield St. *Rhyl* —6C **28**
Green Hill. *Old C* —4D **22**
Grn. Lanes. *Pres* —3H **29**
Green Rd. *R Sea* —7J **17**
Greenway. *R Sea* —5H **17**
Gregory Av. *Col B* —2H **21**
Gregory Clo. *Col B* —2H **21**
Gregory Cres. *Col B* —2H **21**
Grenville Av. *Rhud* —5F **33**
Grenville Row. *Bod* —3D **36**
Groesffordd. *D'chi* —6H **13**
(in two parts)
Groesffordd La. *P'awr* —2K **13**

Groes Lwyd. *Aber* —5J **25**
Groes Rd. *Col B* —4B **22**
Gronant Hill. *Gron* —2J **31**
Gronant Rd. *Pres* —3D **30**
Gronant St. *Rhyl* —6A **28**
Groome Av. *Rhyl* —1D **32**
Grosvenor Av. *Rhyl* —7E **28**
Grosvenor Rd. *Col B* —2J **21**
Grosvenor Rd. *Pres* —2A **30**
Grosvenor Rd. *Rhyl* —4D **28**
Grove Pk. *Rhyl* —5D **28**
Grove Pk. Av. *Rhyl* —5D **28**
Grove Pk. W. *Col B* —3K **21**
Grove Pas. *L'no* —2F **15**
(off Tudno St.)
Grove Rd. *Col B* —3A **22**
Grove, The. *Rhyl* —7C **30**
Grove, The. *Rhyl* —5C **28**
Gurnard Pl. *Rhyl* —2D **32**
Gwalia Av. *Rhyl* —7C **28**
Gwel Eryri. *L'fan* —5B **6**
Gwel-Fryn. *Moch* —4F **21**
Gwelfryn. *Pres* —3C **30**
Gwellyn Av. *Rhyl* —5J **27**
Gwel yr Wyddfa. *Men B* —1J **9**
Gwenarth Dri. *Rhyl* —2E **32**
Gwern Las. *Ban* —4F **11**
Gwindy St. *Rhud* —5E **32**
Gwydyr Gdns. *L'no* —5J **15**
Gwydyr Rd. *L'no* —5H **15**
Gwyllt Rd. *L'chan* —7A **12**
Gwynan Pk. *D'chi* —6H **13**
Gwynan Rd. *P'awr* —2J **13**
Gwynant Ct. *L'no* —5H **15**
Gwynedd Rd. *L'no* —3J **15**
Gwynfryn Av. *Rhyl* —7B **28**
Gwynfryn Ter. *L'faen* —5K **23**
Gwynt y Mor. *Con* —3E **18**
Gwytherin Av. *Tow* —3F **27**

Hadden Ct. *R Sea* —6J **17**
Haddon Clo. *Rhyl* —7B **28**
Hadley Cres. *Rhyl* —5D **28**
Hafan yr Ewyn. *Kin B* —4J **27**
Hafan yr Heli. *Kin B* —4K **27**
Hafod Av. *Kin B* —5K **27**
Hafod Rd. *Pres* —2D **30**
Hafod Rd. E. *Pen B* —4E **16**
Hafod Rd. W. *Pen B* —4E **16**
Hafodty La. *Col B* —5G **21**
Hafod-y-Mor. *Aber* —4K **25**
Hafod y Mor. *Pres* —2D **30**
Hall Rd. *Pen B* —5D **16**
Hammond Ct. *Rhyl* —1D **32**
Hampton Rd. *C'fon* —4D **4**
Handsworth Cres. *Rhyl* —6E **28**
Hanover Av. *L'no* —4J **15**
Hanover Ct. *R Sea* —7G **17**
Happy Valley Rd. *L'no* —1G **15**
Harcourt Rd. *L'no* —4J **15**
Harding Av. *Rhud* —6F **33**
Hardwynn Dri. *Pres* —5B **30**
Hardy Av. *Rhyl* —4D **28**
Harlech Cres. *Pres* —4B **30**
Harlech Rd. *L'no* —6H **15**
Harp Ct. *Aber* —6K **25**
Harrison Rd. *L'no* —2H **27**
Hartsville Av. *Pen B* —5D **16**
Hawarden Rd. *Col B* —2K **21**
Hawes Dri. *Deg* —1F **19**
Hawthorn Av. *R Sea* —6H **17**
Hayden Clo. *Col B* —5E **22**
Haydn Clo. *Kin B* —2J **27**
Hazel Ct. *Rhyl* —5E **28**
Hazelwood Clo. *Col B* —3F **21**
Heather Clo. *Old C* —4E **22**
Heather Cres. *Pres* —5B **30**
Heaton Rd. *R Sea* —1H **21**
Heenan Rd. *Old C* —4E **22**
Hen-Afon Rd. *Rhyl* —7E **28**
Hendre Clo. *Rhud* —5F **33**
Hendre Ct. *Pres* —4D **30**
Hendre Rd. *Con* —7E **18**
Hendwr La. *P'side* —4C **16**
Hen Ffordd Conwy. *P'awr* —2K **13**
Henryd Rd. *Con* —7E **18**
Henry's Av. *Bod* —3D **36**
Henwalia. *C'fon* —5D **4**
Heol Afon. *St As* —6B **38**
Heol Aled. *Aber* —4H **25**
Heol Awel. *Aber* —4H **25**
Heol Belmont. *Ban* —3B **10**
Heol Bodran. *Aber* —4H **25**
Heol Clwyd. *St As* —6B **38**
Heol Colwyn. *Aber* —4J **25**
Heol Conwy. *Aber* —4H **25**

Heol Dewi. *Aber* —6A **26**
Heol Dewi. *Ban* —4C **10**
Heol Dirion. *Col B* —5B **22**
Heol Edward. *C'fon* —4D **4**
Heol Elinor. *C'fon* —4D **4**
Heol Elwy. *Aber* —4H **25**
Heol Esgob. *St As* —6K **37**
Heol Fryn. *Moch* —4F **21**
Heol Gelert. *C'fon* —5D **4**
Heol Gomer. *Aber* —5J **25**
Heol Heddwch. *Aber* —5J **25**
Heol Hendre. *Rhud* —5F **33**
Heol Hir. *Aber* —5J **25**
Heol Victoria. *Ban* —2C **10**
Heol y Bryn. *C'fon* —4D **4**
Heol-y-Coed. *Aber* —4J **25**
Heol y Fedwen. *Aber* —5B **26**
Heol-y-Llys. *Rhyl* —6F **29**
Herkomer Cres. *L'no* —5E **14**
Herkomer Rd. *L'no* —4F **15**
Heron Way. *Deg* —2F **19**
Hesketh Rd. *Old C* —4C **22**
Heulfryn. *Deg* —3H **19**
Hewitt Clo. *Pen B* —5C **16**
Highbury Av. *Pres* —2C **30**
Highbury Clo. *Pres* —1D **30**
Highbury Cres. *Pres* —2C **30**
Highfield Av. *Aber* —6K **25**
Highfield Rd. *Rhyl* —5C **28**
Highfield Rd. *Col B* —4A **22**
Highlands Clo. *Rhud* —4F **33**
Highlands Rd. *Old C* —4G **23**
Highland's Rd. *Rhud* —4E **32**
High La. *R Sea* —7H **17**
High St. Abergele, *Aber* —6K **25**
High St. Conwy, *Con* —5G **19**
High St. Dyserth, *Dys* —3B **34**
High St. Prestatyn, *Pres* —3D **30**
High St. Rhuddlan, *Rhud* —5E **32**
High St. Rhyl, *Rhyl* —6A **28**
High St. St Asaph, *St As* —6C **38**
High St. Trelawnyd, *Trel* —2J **35**
Hillcrest Ct. *Bod* —5E **36**
Hillcrest Rd. *Deg* —3H **19**
Hillside. *St As* —6C **38**
Hillside Av. *Old C* —4C **22**
Hillside Rd. *Col B* —3K **21**
Hillside Ter. *L'no* —2F **15**
Hill Ter. *L'no* —2G **15**
Hilltop Rd. *Rhyl* —1E **32**
Hill Vw. Clo. *L'hos* —7J **15**
Hill Vw. Ct. *L'hos* —7H **15**
Hill Vw. Rd. *L'no* —7H **15**
Hilton Dri. *Rhyl* —4E **28**
Hiraddug Pk. *Dys* —3B **34**
Hiraddug Rd. *Dys* —3C **34**
Holbeck Rd. *R Sea* —1J **21**
Holland Dri. *Aber* —5B **26**
Holland Pk. *Rh1, L'no* —1E **32**
Holly Clo. *Rhyl* —5E **28**
Holyrood Av. *Old C* —4C **22**
Holyrood Ct. *L'no* —5E **14**
Holywell Cres. *Kin B* —4J **27**
Holywell Rd. *R Sea* —5E **38**
Honeysuckle La. *Col B* —5J **21**
(in two parts)
Hope St. *Rhyl* —6A **28**
Horton Dri. *R Sea* —1G **21**
Hospital Rd. *L'no* —5G **15**
Howard Pl. *L'no* —4G **15**
Howard Rd. *L'no* —4F **15**
Howell Av. *Rhud* —4F **33**
Howell Dri. *Rhyl* —7F **29**
Hyfrydle. *C'fon* —5E **4**
Hyfrydle. *Dys* —3A **34**
Hylas La. *Rhud* —6F **33**
Hywel Pl. *L'no* —4G **15**

Invalids' Wlk. *L'no* —3E **14**
Iola Dri. *Old C* —4E **22**
Irene Av. *Pres* —4J **29**
Irving Rd. *L'no* —3J **15**
Isallt Rd. *L'faen* —7J **23**
Iscoed. *Beau* —1H **7**
Isfryn. *Col B* —5G **23**
Isfryn Rd. *Pres* —6C **30**
(in two parts)
Isgoed. *Con* —7F **19**
Isis Ct. *L'no* —5J **15**
Islwyn Av. *Rhyl* —5D **28**
Is Terfyn. *St As* —6B **38**
Ivy St. *Col B* —3A **22**

Jackson's Ct. *L'no* —4H **15**
Jaclyn Clo. *Pres* —3J **29**

James's Pk. *Dys* —3B **34**
James St. *Ban* —2E **10**
James St. *L'no* —3F **15**
John's Dri. *Bod* —3D **36**
John St. *L'no* —3G **15**
John St. *Rhyl* —6A **28**
Jubilee Pas. *L'no* —4G **15**
(off Jubilee St.)
Jubilee St. *L'no* —4G **15**
Juniper Way. *Rhyl* —5E **28**

Kearsley Dri. *Rhyl* —1F **33**
Keens Rd. *St As* —6B **38**
Kendal Rd. *Kin B* —2H **27**
Kenelm Rd. *R Sea* —7J **17**
Kenneth Av. *Col B* —4A **22**
Kensington Av. *Old C* —3C **22**
Kentigern Ct. *St As* —6C **38**
Kerfoot Av. *Rhyl* —5E **32**
Kimberley Rd. *Llan J* —5K **19**
Kinard Dri. *Rhyl* —5C **28**
King's Av. *L'no* —4F **15**
Kings Av. *Pres* —3D **30**
Kings Av. *Rhyl* —6B **28**
Kings Dri. *Col B* —3J **21**
King's Dri. *L'no* —4F **15**
(off King's Rd.)
Kingsley Av. *Rhyl* —7C **28**
Kings Oak. *Col B* —3H **21**
King's Pl. *L'no* —4F **15**
Kings Rd. *Col B* —3J **21**
King's Rd. *L'no* —4F **15**
King's Rd. *Old C* —4E **22**
Kingston Rd. *Rhyl* —6A **28**
Kingsway. *Aber* —3K **25**
Kingsway. *Col B* —2K **21**
Kingsway. *Kin B* —5J **27**
Kingsway. *L'no* —4J **15**
Kingsway. *Pres* —3E **30**
Kingswood Pl. *Aber* —5H **25**
Kinmel Av. *Aber* —4J **25**
Kinmel Clo. *Kin B* —2H **27**
Kinmel Dri. *Kin B* —2G **27**
Kinmel Dri. *Kin B* —4D **36**
Kinmel Pk. Ind. Est. *Bod* —4E **36**
Kinmel St. *Rhyl* —6B **28**
Kinmel Ter. *Rhyl* —6B **28**
Kinmel Way. *Tow* —4F **27**
Kirby Av. *Pres* —2F **31**
Knowles Av. *Pres* —4C **30**
Knowles Av. *Rhyl* —4E **28**
Knowles Rd. *L'no* —4F **15**
Knowsley Av. *Rhyl* —6D **28**
Kyffin Clo. *Old C* —4C **22**
Kynaston Rd. *Pres* —3J **29**

Laburnum Dri. *Rhyl* —6E **28**
Lake Av. *Rhyl* —7A **28**
Lancaster Sq. *Con* —5G **19**
Landsdowne Rd. *Col B* —2J **21**
Langford Dri. *Kin B* —2G **27**
Langley Clo. *Pen B* —5E **16**
Larch Dri. *Rhyl* —5E **28**
Larkmount Rd. *Rhyl* —6B **28**
Laurel Ct. *Rhyl* —5E **28**
Laurel Gro. M. *Tow* —4F **27**
Lawn, The. *Rhyl* —5C **28**
Lawson Rd. *Col B* —5B **22**
Lees Rd. *L'no* —4F **15**
Leonard Av. *Rhyl* —7C **28**
Leslie Ter. *St As* —6C **38**
(off Lower St.)
Lewis Clo. *L'no* —5J **15**
Lichfield Dri. *Pres* —3A **30**
Liddel Dri. *L'no* —5J **15**
Lilac Av. *Rhyl* —6E **28**
Linden Clo. *Pres* —3E **30**
Linden Dri. *Pres* —4E **30**
Linden Wlk. *Pres* —3E **30**
Links Av. *R Sea* —5G **17**
Links Av. *Rhud* —5F **33**
Links, The. *Pen B* —6E **16**
Little La. *Beau* —1K **7**
Llain yr Eglwys. *Ban* —2E **10**
Llain yr Ysgol. *Maes* —4C **10**
Llain yr Ysgol. *Maes* —3F **11**
Llanasa Rd. *Gron* —2J **31**
(in two parts)
Llanberch-y-Mor. *P'awr* —2J **13**
Llandaff Dri. *Pres* —3A **30**
Llanddulas Av. *Kin B* —4J **27**
Llanddulas Rd. *Aber* —4J **27**
Llandudno Rd. *Pen B* —5D **16**
Llandygai Ind. Est. *L'gai* —4G **11**
Llanelian Heights. *Old C* —6D **22**

Llanelian Rd. *Old C* —4C **22**
Llanerch Rd. *L'chan* —7B **12**
Llanfair Rd. *Aber* —7J **25**
Llannerch Rd. E. *R Sea* —1J **21**
Llannerch Rd. W. *R Sea* —1H **21**
Llanrhos Rd. *Pen B* —6D **16**
Llanrwst Rd. *Col B* —2H **21**
Llanrwst Rd. *Con* —7F **19**
Llawr Pentre. *Old C* —4D **22**
Llewelyn Av. *L'no* —2F **15**
Llewelyn Ct. *Rhyl* —7F **29**
Llewelyn Rd. *Col B* —3K **21**
Llewelyn St. *Con* —5G **19**
Llewelyn Vw. *R Sea* —1F **21**
Llican Ter. *L'no* —2E **14**
  (off Ty-Gwyn Rd.)
Llindir Rd. *L'las* —5A **24**
Lloyd George Clo. *L'no* —5G **15**
Lloyd Pas. *L'no* —3F **15**
Lloyd St. *L'no* —3F **15**
Lloyd St. W. *L'no* —4E **14**
Llugwy Rd. *Kin B* —3H **27**
Llwybr Cwfaint. *Ban* —3C **10**
Llwybr Jiwbili. *D'chi* —7H **13**
Llwyd Gro. *Col B* —4B **22**
Llwyn Ceirios. *C'fon* —3E **4**
Llwyn Elwy. *St As* —7B **38**
Llwyn Estyn. *Deg* —3J **19**
Llwyn Gwgan. *L'chan* —6B **12**
Llwyn Harlech. *Bod* —3E **36**
Llwyn Hudol. *Ban* —2F **11**
Llwyn Isaf. *Con* —6F **19**
Llwyn Morfa. *Aber* —5K **25**
Llwynon Gdns. *L'no* —2F **15**
Llwyn Onn. *Aber* —6J **25**
Llwyn Onn. *Gwae* —6F **31**
Llwyn Onn. *R Sea* —6H **17**
Llwyn Onn. *St As* —7C **38**
Llwynon Rd. *L'no* —2E **14**
Llwyn Rhuthun. *Bod* —3E **36**
Llwyn Uchaf. *Aber* —6J **25**
Llwyn y Gog. *L'chan* —6B **12**
Llys Aderyn Du. *Rhyl* —5G **29**
Llys Alarch. *Rhyl* —6F **29**
Llys Alun. *St As* —7C **38**
Llys Alwen. *Rhyl* —6F **29**
Llys Argoed. *Col B* —4J **21**
Llys Arthur. *Tow* —4F **27**
Llys Barham. *C'fon* —2E **4**
Llys Bedwen. *Rhyl* —5F **29**
Llys Bedwyr. *Ban* —2F **11**
Llys Berllan. *Gron* —2J **31**
Llys Bodlondeb. *Con* —5F **19**
Llys Bodnant. *Rhyl* —6F **29**
Llys Branwen. *Rhyl* —3H **27**
Llys Brenig. *Rhyl* —6F **29**
Llys Brierley. *L'no* —5J **15**
Llys Cadnant. *Rhyl* —6F **29**
Llys Cadwaladr. *Maes* —3F **11**
Llys Caradoc. *Tow* —4F **27** ·
Llys Catrin. *Rhyl* —5F **29**
Llys Celyn. *Pres* —7B **30**
Llys Charles. *Tow* —4F **27**
Llys Clwyd. *Kin B* —1J **27**
Llys Clwyd. *P'awr* —2J **13**
Llys Clwyd. *St As* —7C **38**
Llys Colomen. *Rhyl* —6G **29**
Llys Colwyn. *Old C* —5D **22**
Llys Cowlyd. *Rhyl* —6F **29**
Llys Cregyn. *Kin B* —2J **27**
Llys Cynan. *Kin B* —1J **27**
Llys Dedwydd. *R Sea* —1H **21**
Llys Dedwydd. *Rhyl* —6F **29**
Llys Delyn. *Rhyl* —6F **29**
Llys Dewi. *Gron* —2J **31**
Llys Dewi. *Rhyl* —5F **29**
Llys Dewi Sant. *Ban* —4C **10**
Llys Dinas. *Rhyl* —6F **29**
Llys Dyffryn. *St As* —7D **38**
Llys Dyfrig. *Ban* —2G **11**
Llys Ednyfed. *Moch* —3F **21**
Llys Edward. *Gron* —2K **31**
Llys Edward. *Tow* —4F **27**
Llys Eirlys. *Rhyl* —5F **29**
Llys Emrys. *Ban* —1F **11**
Llys Eos. *Rhyl* —5G **29**
Llysfaen Av. *Kin B* —2H **27**
Llysfaen Rd. *Col B* —4E **22**
Llysfaen Sta. Rd. *L'faen* —4J **23**
Llys Gele. *Aber* —5K **25**
Llys Geraint. *Ban* —2G **11**
Llys Glan Aber. *Rhyl* —7C **28**
Llys Glanrafon *Kin B* —2J **27**
Llys Glyndwr. *Tow* —4F **27**
Llys Gwylan. *L'no* —5H **15**
  (off Lon Cymru)
Llys Gwylan. *Rhyl* —6F **29**

Llys Gwyn. *C'fon* —3E **4**
Llys Gwyn. *Pen B* —4E **16**
Llys Gwynant. *Rhyl* —6F **29**
Llys Helig Dri. *L'no* —1B **14**
Llys Helyg. *Deg* —1F **19**
Llys Helyg. *Rhyl* —5F **29**
Llys Hendre. *Rhud* —5F **33**
Llys Idris. *St As* —6C **38**
Llys Iwan. *Gron* —2J **31**
Llys Llewelyn. *Tow* —4F **27**
Llys Mabon. *Ban* —4F **11**
Llys Madoc. *Tow* —4F **27**
Llys Maelgwn. *L'no* —3F **15**
Llys Mair. *Ban* —4B **10**
Llys Marni. *Aber* —5K **25**
Llys Meirion. *C'fon* —2E **4**
Llys Miaren. *Rhyl* —5F **29**
Llys Morgan. *Rhyl* —7D **28**
Llys Mostyn. *Trel* —2J **35**
Llys Offa. *Rhyl* —5F **29**
Llys Owain. *Ban* —2F **11**
Llys Owen. *Gron* —2J **31**
Llys Padarn. *Rhyl* —6F **29**
Llys Parc. *R Sea* —6H **17**
Llys Pendefig. *Kin B* —2H **27**
Llys Pentre Isaf. *Col B* —6E **22**
Llys Pen y Ffordd. *Rhud* —4F **33**
Llys Peris. *Rhyl* —6F **29**
Llys Robin Goch. *Rhyl* —6F **29**
Llys Sambrook. *P'awr* —1J **13**
Llys Seiriol. *L'no* —4F **15**
Llys Siabod. *C'fon* —5E **4**
Llys Sion. *Rhyl* —5F **29**
Llys Sychnant. *Con* —7E **18**
Llys Tegid. *Rhyl* —6F **29**
Llys Trewithan. *St As* —5C **38**
Llys Tryfan. *C'fon* —5E **4**
Llys Tudor. *Tow* —4F **27**
Llys Tudur. *Rhyl* —5F **29**
Llys y Castell. *Kin B* —4J **27**
Llys y Foel. *C'fon* —5E **4**
Llys y Foel Bungalows. *C'fon* —5D **4**
  (off Ffordd Eryri)
Llys y Garn. *C'fon* —6D **4**
Llys-y-Gerddi. *Rhyl* —1D **32**
Llys y Goppa. *Aber* —7J **25**
Llys-y-Marchog. *Kin B* —2H **27**
Llys-y-Mor. *Aber* —4J **25**
Llys yr Eifl. *C'fon* —6D **4**
Llys-yr-Eos. *Aber* —5B **26**
Llys yr Wyddfa. *Rhyl* —5F **29**
Llys-y-Tywysog. *Rhyl* —5F **29**
Lon Aeron. *Rhyl* —5F **29**
Lon Alwen. *Pres* —3D **30**
Lon Arfon. *C'fon* —5E **4**
Lon Bach. *C'fon* —4E **4**
Lon Bedw. *Rhyl* —5F **29**
Lon Brynli. *Pres* —4A **30**
Lon Bryn Teg. *L'fan* —6C **6**
Lon Bulkeley. *Men B* —1H **9**
Lon Cadfan. *Pres* —5A **30**
Lon Cae Darbi. *C'fon* —4G **5**
Lon Cae Ffynnon. *C'fon* —4F **5**
Lon Cae Sel. *C'fon* —4D **4**
Lon Cambell. *C'fon* —2D **4**
Lon Caradog. *Aber* —6H **25**
Lon Cariadon. *Ban* —2E **10**
Lon Cariadon. *Men B* —3K **9**
Lon Cefn Du. *C'fon* —5E **4**
Lon Cei Bont. *Men B* —3K **9**
Lon Ceiriog. *Pres* —5A **30**
Lon Ceirios. *Aber* —7H **25**
Lon Celynnen. *Rhyl* —6F **29**
Lon Cilgwyn. *C'fon* —6E **4**
Lon Coed Helen. *C'fon* —5C **4**
Lon Crwyn. *C'fon* —4C **4**
  (off Lon y Felin)
Lon Cwybr. *Rhud* —4E **32**
Lon Cymru. *L'no* —5H **15**
Lon Cynan. *Aber* —6H **25**
Lon Cynan. *Pres* —4A **30**
Lon Cytir. *Ban* —7K **9**
Lon Dawel. *Aber* —7J **25**
Lon Dderwen. *Aber* —7H **25**
Lon Ddewi. *C'fon* —3D **4**
Lon Ddwr. *Tal* —5J **11**
Lon Deg. *Aber* —7J **25**
Lon Delyn. *Pres* —2D **30**
Lon Derw. *Aber* —7J **25**
Lon Dinorben. *Aber* —7J **25**
London Rd. *Trel* —2G **35**
Lon Drych. *L'yll* —3E **8**
Lon Dyfi. *Pres* —3K **29**
Lon Eglyn. *Rhyl* —5F **29**
Lon Eilian. *C'fon* —5E **4**
Lon Eirin. *Tow* —5F **27**
Lon Eirlys. *Pres* —2D **30**

Lon Elan. *Pres* —6B **30**
Lon Eryri. *Ban* —4B **10**
Lon Evelyn. *Ban* —2D **10**
Lon Fach. *L'no* —4G **15**
  (off Norman Rd.)
Lon Ffawydd. *Aber* —6J **25**
Lon Foel Graig. *L'yll* —3E **8**
  (in two parts)
Lon Frondeg. *Ban* —2E **10**
Lon Gadlas. *Aber* —6J **25**
Lon Ganol. *Men B* —2H **9**
Lon Garnedd. *Aber* —6J **25**
Lon Garth. *Men B* —2H **9**
Lon Gernant. *Men B* —2J **9**
Lon Glanfor. *Aber* —5A **26**
Lon Glan Mor. *Ban* —1F **11**
Longleat Av. *L'no* —3B **16**
Lon Glyd. *Aber* —5A **26**
Lon Glyndwr. *Aber* —6H **25**
Lon Goed. *Aber* —7J **25**
Lon Goed. *Llan J* —4J **19**
Lon Graig. *L'yll* —3E **8**
Lon Gwalia. *L'no* —5J **15**
Lon Gwyndaf. *Pres* —4A **30**
Lon Hafan. *Aber* —7J **25**
Lon Hedydd. *L'yll* —3E **8**
Lon Hedyn. *Rhyl* —5F **29**
Lon Helen. *C'fon* —5E **4**
Lon Helyg. *Aber* —7H **25**
Lon Hen Felin. *C'fon* —4G **5**
Lon Heulog. *Aber* —7J **25**
Lon Heulog. *Kin B* —4H **27**
Lon Hyfryd. *Aber* —7J **25**
Lon Isaf. *Men B* —1J **9**
Lon Islwyn. *Pres* —5A **30**
Lon Kinmel. *Aber* —3K **25**
Lon Las. *Mon B* —2K **9**
Lon Lelog. *Rhyl* —5F **29**
Lon Llewelyn. *Aber* —6H **25**
Lon Mafon. *Rhyl* —5F **29**
Lon Meirion. *Ban* —1E **10**
Lon Melin Esgob. *Ban* —3E **10**
Lon Menai. *Men B* —1H **9**
Lon Mieri. *Ban* —4B **10**
Lon Mynach. *Pen B* —4D **16**
Lon Nant. *C'fon* —4E **4**
Lon Ogwen. *Ban* —4B **10**
Lon Oleuwen. *C'fon* —6E **4**
Lon Olwen. *Kin B* —3H **27**
Lon Padog. *Con* —4E **18**
Lon Pant. *L'yll* —3F **9**
Lon Parc. *C'fon* —5D **4**
Lon Pendyffryn. *L'las* —4A **24**
Lon Pen Nebo. *Men B* —2J **9**
Lon Penrallt. *Ban* —2D **10**
Lon Penrhiw. *L'las* —4A **24**
Lon Pobty. *Ban* —4E **10**
Lon Powys. *Ban* —4B **10**
Lon Priestley. *C'fon* —3E **4**
Lon Pwllfanogl. *L'yll* —4D **8**
Lon Refail. *L'yll* —2E **8**
Lon Rhosyn. *Rhyl* —5F **29**
Lon Seiriol. *Ban* —1E **10**
Lon Sydney. *C'fon* —3D **4**
Lon Tabernacl. *Ban* —2E **10**
Lon Taliesin. *Pres* —4A **30**
Lon Temple. *Ban* —2D **10**
Lon Tilsli. *Pres* —5A **30**
Lon Totton. *Ban* —1E **10**
Lon ty Bach. *L'chan* —7A **12**
Lon ty Croes. *L'yll* —3D **8**
Lon Tyddyn. *Ban* —3F **11**
Lon ty Gwyn. *C'fon* —5E **4**
Lon ty Mawr. *L'fan* —6B **6**
Lon ty Newydd. *C'fon* —4G **5**
Lon Ty'n y Caeau. *Men B* —2H **9**
Lon Vardre. *Deg* —2G **19**
Lon Warfield. *C'fon* —3D **4**
Lon Wen. *Aber* —7J **25**
Lon Wen. *Rhyl* —5F **29**
Lon-y-Bedw. *Ban* —5B **10**
Lon y Brodyr. *Ban* —1E **10**
Lon-y-Bryn. *Ban* —4A **10**
Lon y Bryn. *C'fon* —5E **4**
Lon y Bryn. *Men B* —1H **9**
Lon-y-Cyll. *Aber* —4K **25**
Lon-y-Dail. *Aber* —4A **10**
Lon-y-Der. *Ban* —4A **10**
Lon-y-Dryw. *Aber* —5A **26**
Lon y Dwr. *Ban* —1F **11**
Lon-y-Felin. *Ban* —3F **11**
Lon y Felin. *C'fon* —4C **4**
Lon y Ffrith. *L'no* —4B **10**
Lon-y-Ffrwd. *L'no* —4B **10**
Lon-y-Gaer. *Deg* —3H **19**
Lon y Gamfa. *Men B* —1J **9**

Lon-y-Glyder. *Ban* —4B **10**
Lon y Gogarth. *Ban* —1E **10**
Lon-y-Gors. *Aber* —4K **25**
Lon-y-Llyn. *Aber* —6A **26**
Lon-y-Meillion. *Ban* —4B **10**
Lon-y-Mes. *Aber* —7H **25**
Lon y Parc. *Ban* —3G **11**
Lon yr Efail. *Glan* —7C **16**
Lon yr Eglwys. *C'fon* —4C **4**
Lon Ysgubor Wen. *C'fon* —3E **4**
Lon y Waen. *Men B* —1J **9**
Lon-y-Waun. *Aber* —6J **25**
Lon y Wennol. *L'yll* —2E **8**
Lon y Wylan. *Aber* —5B **26**
Lon y Wylan. *L'yll* —2E **8**
Lorina Gro. *L'no* —5J **15**
Lothian Pk. *St As* —6C **38**
  (off Bryn Gobaith)
Lwr. Denbigh Rd. *St As* —6B **38**
Lwr. Foel Rd. *Dys* —4C **34**
Lwr. Gate St. *Con* —6G **19**
Lower St. *Ban* —3E **10**
Lower St. *St As* —6C **38**
Lowther Clo. *Kin B* —4J **27**
Lowther Ct. *Bod* —3F **37**
Luke St. *St As* —6C **38**
Lynton Wlk. *Rhyl* —5D **28**
Lynwood Dri. *Rhyl* —5D **28**

McInroy Clo. *L'no* —5G **15**
McKinley Rd. *Llan J* —5K **19**
Madoc Clo. *R Sea* —7F **17**
Madoc St. *L'no* —3G **15**
Madryn Av. *Rhyl* —7D **28**
Maelgwyn Dri. *Deg* —3H **19**
Maelgwyn Rd. *L'no* —3F **15**
Maenafon. *L'yll* —3D **8**
Maenan Rd. *L'no* —4B **14**
Maenen. *Col B* —5G **23**
Maen Gwyn. *Aber* —6H **25**
Maes Alaw. *Rhud* —5E **32**
Maes Alltwen. *D'chi* —6J **13**
Maes Arthur. *Rhyl* —7F **29**
Maes Awel. *L'fan* —7A **6**
Maes Bedwen. *Rhud* —4E **32**
Maes Benarth. *Con* —7G **19**
Maes Berllan. *L'no* —5J **15**
Maes Berllan. *P'awr* —2J **13**
Maes Briallen. *L'no* —7G **15**
Maes Bryn Melyd. *Rhyl* —7F **29**
Maes Canol. *C'fon* —4E **4**
Maes Canol. *Aber* —4K **25**
Maes Canol. *Llan J* —4A **20**
Maes Cefndy. *Rhyl* —7D **28**
Maes Clwyd. *Rhyl* —7F **29**
Maes Clyd. *L'no* —4J **15**
Maes Cwm. *Rhyl* —7F **29**
Maes Cwstennin. *Llan J* —5A **20**
Maes Cybi. *Aber* —4K **25**
Maes Cynbryd. *L'las* —4B **24**
  (in two parts)
Maes Derw. *Llan J* —5K **19**
Maes Derwen. *Rhud* —5E **32**
Maes Dolfor. *L'chan* —4B **12**
Maesdu Av. *L'no* —5F **15**
Maesdu Pl. *L'no* —5G **15**
Maesdu Rd. *L'no* —5G **15**
Maes Emlyn. *Rhyl* —5C **28**
Maes Esgob. *Dys* —3A **34**
Maes Famau. *Rhyl* —7F **29**
Maes Ffyddion. *Rhud* —5E **32**
Maes Ffynnon. *L'las* —4B **24**
Maes Ffynnon. *L'fan* —4C **6**
Maes Gaer. *Rhyl* —7F **29**
Maes Gele. *Aber* —5B **26**
Maes Glas. *Dys* —3A **34**
Maes Glas. *Llan J* —3J **19**
Maes Glas. *Pres* —2D **30**
Maes Glas. *R Sea* —6H **17**
Maes Gweryl. *Con* —6F **19**
Maesgwyn. *Kin B* —4H **27**
Maes Gwynedd. *C'fon* —3E **4**
Maesgwyn Rd. *Pen B* —5E **16**
Maes Hafoty. *L'wrn* —1A **6**
Maes Hedydd. *Rhyl* —6E **28**
Maes Helyg. *Rhud* —5E **32**
Maes Heulog. *C'fon* —3E **4**
Maes Hiraddug. *Dys* —3C **34**
Maes Hyfryd. *Ban* —1E **10**
Maes Hyfryd. *Beau* —4F **7**
Maes Hyfryd. *C'fon* —3E **4**
Maeshyfryd. *Dys* —3B **34**
Maes Hyfryd. *L'yll* —3D **8**
Maesincla. *C'fon* —3E **4**
Maesincla La. *C'fon* —3E **4**

Maes Isaf. *Rhyl* —7F **29**
Maes Isalaw. *Ban* —1F **11**
Maes Llewelyn. *Rhyl* —7E **28**
Maes Madog. *Llane* —6D **22**
Maes Maenefa. *Rhyl* —7G **29**
Maes Mawr. *Ban* —5K **9**
Maes Menlli. *Rhyl* —1F **33**
Maes Meurig. *Pres* —6B **30**
Maes Offa. *Trel* —2J **35**
Maes Onnen. *Rhud* —4E **32**
Maes Owen. *Bod* —3D **36**
Maes Rhosyn. *Rhud* —4E **32**
Maes Rhosyn. *Tow* —5E **26**
Maes Seiriol. *Aber* —6A **26**
Maes Stanley. *Bod* —3D **36**
Maes Tegid. *Pres* —4C **30**
Maes Tudno. *Aber* —6A **26**
Maes Tyddyn To. *Men B* —2J **9**
Maes-y-Bryn. *Rhud* —4F **33**
Maes-y-Castell. *L'hos* —1G **19**
Maes-y-Coed. *Con* —2J **19**
Maes y Coed. *Men B* —2K **9**
Maes-y-Coed Av. *Old C* —4C **22**
Maes-y-Cwm. *L'no* —5G **15**
Maes-y-Don Dri. *Rhyl* —4D **28**
Maes-y-Dre. *Aber* —6K **25**
Maes y Dre. *Gron* —2J **31**
Maes-y-Dref. *Ban* —2E **10**
Maes-y-Foel. *Dys* —3B **34**
Maes-y-Fron. *Col B* —5B **22**
Maes-y-Fron. *L'faen* —5K **23**
Maes-y-Glyn. *Col B* —5B **22**
Maes-y-Glyn. *L'chan* —4B **12**
Maes y Gog. *Rhyl* —5G **29**
Maes-y-Groes. *Pres* —3C **30**
  (in two parts)
Maes y Gwenith. *Pen B* —5D **16**
Maes y Llan. *Con* —7F **19**
Maes-y-Llan. *D'chi* —6H **13**
Maes y Llan. *Tow* —3E **26**
Maes-y-Llys. *Dys* —3A **34**
Maes-y-Mor. *Aber* —5B **26**
  (in two parts)
Maes y Mor. *Pen B* —4E **16**
Maes y Parc. *Rhyl* —7F **29**
Maes-yr-Hafod. *Aber* —3K **25**
Maes yr Hebog. *Pen B* —5D **16**
Maes yr Orsedd. *L'no* —5G **15**
Maes y Wennol. *Pen B* —5D **16**
Maes y Wylan. *Pen B* —5D **16**
Magnolia Ct. *Rhyl* —6E **28**
Mall, The. *Pres* —1C **30**
Malvern Ri. *R Sea* —6G **17**
Manod Rd. *Pres* —6C **30**
Manor Clo. *Pres* —4E **30**
Manor Pk. *L'no* —3F **15**
Manor Way. *Kin B* —2J **27**
  (in two parts)
Maple Av. *Rhyl* —6E **28**
Marble Arch. *L'no* —3G **15**
Marble Chu. Gro. *Bod* —3F **37**
Marford Dri. *Aber* —6H **25**
Margaret St. *Beau* —1J **7**
Marian Pl. *L'no* —5F **15**
Marian Rd. *L'no* —5F **15**
Marie Clo. *L'no* —5F **15**
Marine Av. *Old C* —4C **22**
Marine Ct. *Deg* —1F **19**
Marine Cres. *Deg* —2F **19**
Marine Cres. *P'awr* —1J **13**
Marine Dri. *L'no* —1A **14** & 1G **15**
Marine Dri. *R Sea* —5G **17**
Marine Dri. *Rhyl* —4D **28**
Marine Gdns. *Deg* —1F **19**
Marine Path. *Old C* —4C **22**
Marine Rd. *Col B* —2K **21**
Marine Rd. *Pen B* —5E **16**
Marine Rd. *Pens* —3K **25**
Marine Rd. *Pres* —2C **30**
Marine Rd. E. *Pres* —1E **30**
Marine Ter. *P'awr* —1K **13**
Marine Vw. *R Sea* —7F **17**
Marine Wlk. *Con* —4F **19**
Marion Rd. *Pres* —3K **29**
Market Pl. *Aber* —5K **25**
Market St. *Aber* —5J **25**
Market St. *Rhyl* —6B **28**
Marl Av. *Llan J* —4F **19**
Marl Cres. *Llan J* —4J **19**
Marl Dri. *Llan J* —3K **19**
Marl Gdns. *Deg* —3J **19**
Marl La. *Deg & Llan J* —2J **19**
Marl Vw. Ter. *Deg* —3J **19**

Marsh Rd. *Rhud* —5D **32**
Marsh Rd. *Rhyl* —7A **28**
Marston Rd. *R Sea* —7F **17**
Marston Rd. *R Sea* —7F **17**
Masonic St. *L'no* —2G **15**
Maude St. *Rhyl* —6A **28**
Mauldeth Rd. *R Sea* —7J **17**
Mayfield Gro. *Rhyl* —5E **28**
Meadowbank. *Col B* —6E **22**
Meadow Gdns. *L'no* —5K **15**
Meadows La. *Pres* —5C **30**
Meadows, The. *Pres* —5B **30**
Meadows Way. *R Sea* —7F **17**
Meadway. *R Sea* —5H **17**
Medea Dri. *Rhyl* —4D **28**
Meiriadog Rd. *Old C* —4E **22**
Meirion. *Aber* —3K **25**
Meirion Clo. *Rhyl* —1D **32**
Meirion Dri. *Con* —3E **18**
Meirion Gdns. *Col B* —3A **22**
Meliden Rd. *Pres* —6C **30**
Meliden Rd. *Rhud* —4G **33**
Melyd Av. *Pres* —6C **30**
Menai Av. *Rhyl* —7B **28**
Menai Vw. Ter. *Ban* —2C **10**
Menai Ville Ter. *Men B* —2K **9**
Mercia Dri. *Rhyl* —4D **28**
Meredith Cres. *Rhyl* —7C **28**
Merfyn Way. *Rhyl* —7F **29**
Merivale Rd. *Pen B* —5E **16**
Merllyn Rd. *Rhyl* —6E **28**
Merllyn Ter. *St As* —6B **38**
Merton Pk. *P'awr* —2K **13**
Merton Pl. *Rhyl* —2E **32**
Methven Dri. *Pres* —3J **29**
Mews, The. *Llan J* —3J **19**
Michaels Rd. *Rhyl* —1E **32**
Mile Rd., The. *L'fan & Beau* —3E **6**
Millbank Rd. *Rhyl* —6C **28**
Mill Dri. *Col B* —4D **22**
Mill La. *Beau* —1J **7**
Mill Rd. *L'chan* —5B **12**
Mill St. *L'las* —4B **24**
Mill St. *St As* —5C **38**
Milmor Way. *Pres* —3A **30**
Minafon. *Ban* —3D **10**
Minafon. *Col B* —4D **22**
Miners La. *Old C* —4F **23**
Minffordd Rd. *L'las* —4A **24**
Min Menai. *Ban* —4B **10**
Min Ogwen. *T'bont* —6J **11**
Min-y-Coed. *Ban* —3F **11**
Min-y-Ddol. *Ban* —4F **11**
Min-y-Don. *Aber* —4H **25**
Min y Don. *Pen B* —3E **16**
Min-y-Don. *Old C* —3C **22**
Min-y-Don Dri. *Old C* —3D **22**
Min-y-Don Rd. *Old C* —3D **22**
Min-y-Ffrwd. *L'yll* —3D **8**
Min y Morfa. *Pres* —3B **30**
Min-y-Morfa. *Tow* —4F **27**
Mochdre Bus. Pk. *Moch* —4E **20**
Mochdre Rd. *Col B* —5F **21**
Moel Eilio. *C'fon* —6E **4**
Moel Vw. Rd. *Gron* —1J **31**
Moelwyn Av. E. *Kin B* —2J **27**
Moelwyn Av. N. *Kin B* —1H **27**
Moelwyn Av. W. *Kin B* —2H **27**
Molineaux Rd. *Rhyl* —4E **28**
Mona Dri. *D'chi* —6H **13**
Mona Rd. *Con* —4E **18**
Mona Ter. *L'chan* —3D **12**
Mona Ter. *Rhyl* —6C **28**
Monks' Path. *L'no* —1C **14**
Monmouth Gro. *Pres* —3A **30**
Moon St. *L'no* —3H **15**
Moor Pk. *Aber* —5H **25**
Moranedd Ct. *L'las* —3A **24**
Mor Awel. *Aber* —4J **25**
Mor Awel. *Col B* —4G **23**
Morfa Av. *Kin B* —3G **27**
Morfa Bach. *Rhyl* —7C **28**
Morfa Clo. *Pres* —4A **30**
Morfa Dri. *Con* —4F **19**
Morfa Rd. *L'no* —4E **14**
Morfa Rd. *Pen B* —5F **17**
Morfa Vw. *Bod* —3E **36**
Morgan Rd. *Pres* —3K **29**
Morlais. *Aber* —5A **26**
Morlais. *Con* —3E **18**
Morlan Pk. *Rhyl* —5B **28**
Morley Rd. *L'no* —4J **15**
Morley Rd. *Rhyl* —6C **28**
Mornant Av. *Pres* —1D **30**
Morris Av. *Pres* —3K **29**

Morris Clo. *Pen B* —5D **16**
Moss Dri. *Rhyl* —6E **28**
Mossley Mt. *Pen B* —5D **16**
Mostyn Av. *L'no* —4J **15**
Mostyn Av. *Pres* —3E **30**
Mostyn Broadway. *L'no* —3H **15**
Mostyn Champneys Retail Pk. *L'no*
  —4J **15**
Mostyn Cres. *L'no* —3H **15**
Mostyn Rd. *Col B* —2K **21**
Mostyn Rd. *Gron* —2H **31**
Mostyn St. *L'no* —2G **15**
Mountain La. *P'awr* —2K **13**
Mountain Rd. *Con* —5E **18**
Mt. Ida Rd. *Pres* —4E **30**
Mt. Park. *Con* —6F **19**
Mt. Pleasant. *Beau* —1J **7**
  (off Rating Row)
Mt. Pleasant. *Con* —6F **19**
Mt. Pleasant Sq. *C'fon* —4D **4**
  (off Pentre Newydd)
Mt. Pleasant Ter. *P'side* —4C **16**
Mount Rd. *L'chan* —5C **12**
Mount Rd. *Rhyl* —6C **28**
Mount Rd. *St As* —4B **38**
Mowbray Rd. *L'no* —5F **15**
Mulberry Clo. *Con* —3E **18**
Mynydd La. *Col B* —5F **21**

Nant Clo. *Rhud* —4F **33**
Nant Dri. *Pres* —2E **30**
Nant Hall Rd. *Pres* —3D **30**
Nant Ter. *Men B* —2K **9**
Nant-y-Berllan. *L'chan* —6C **12**
Nant-y-Coed. *Llan J* —4A **20**
Nant y Crai La. *Gron* —3H **31**
Nantyfelin Rd. *L'chan* —6C **12**
Nant-y-Gamar Rd. *L'no* —3K **15**
Nant-y-Glyn. *Llan J* —4K **19**
  (in two parts)
Nant-y-Glyn Rd. *Col B* —7H **21**
Nant y Gro. *Gron* —2J **31**
Narrow La. *Llan J* —3A **20**
Netley Rd. *Rhyl* —7B **28**
Neuadd Alun. *Ban* —2D **10**
  (off Ffordd y Coleg)
Neuadd Arfon. *Ban* —3A **10**
  (off Ffordd Caergybi)
Neuadd Barlow/Barlows. *Ban* —3D **10**
  (off Lon Pobty)
Neuadd Cefn y Coed. *Ban* —2C **10**
  (off Heol Ffriddoedd)
Neuadd Dyfrdwy. *Ban* —2D **10**
  (off Ffordd y Coleg)
Neuadd Elidir. *Ban* —3C **10**
  (off Heol Ffriddoedd)
Neuadd Emrys Evans. *Ban* —2C **10**
  (off Rhodfa Menai)
Neuadd Eryri. *Ban* —2D **10**
  (off Ffordd y Coleg)
Neuadd John Morris Jones. *Ban*
  (off Ffordd y Coleg)   —2E **10**
Neuadd Llys Tryfan. *Ban* —3C **10**
  (off Heol Ffriddoedd)
Neuadd Mon. *Ban* —1D **10**
  (off Ffordd y Coleg)
Neuadd Plas Gwyn. *Ban* —2C **10**
  (off Rhodfa Menai)
Neuadd Rathbone. *Ban* —1E **10**
  (off Ffordd Garth Uchaf)
Neuadd Reichel. *Ban* —3B **10**
  (off Heol Ffriddoedd)
Neuadd Seiriol. *Ban* —3A **10**
  (off Ffordd Caergybi)
Neuadd y Borth. *Ban* —3C **10**
  (off Heol Ffriddoedd)
Neuadd Y Glyder. *Ban* —3C **10**
  (off Heol Ffriddoedd)
Nevill Ct. *L'no* —3H **15**
New Rd. *L'las* —5B **24**
New Rd. *Rhud* —5F **33**
Newry Dri. *L'chan* —6D **12**
New St. *Aber* —6K **25**
New St. *Beau* —1J **7**
New St. *Con* —7F **19**
New St. *L'no* —3F **15**
Newton Rd. *R Sea* —6H **17**
Norbreck Dri. *Rhyl* —1F **33**
Norcliffe Av. *Col B* —4E **22**
Norfolk Av. *Pres* —3D **30**
Norman Dri. *Rhyl* —6C **28**
Norman Rd. *L'no* —4G **15**
Norman Way. *L'no* —4G **15**
North Av. *Pres* —3C **30**
North Av. *Rhyl* —6A **28**
North Dri. *Rhyl* —1E **32**

North Pde. *L'no* —2G **15**
N. Wales Holiday Camp. *Aber* —4B **26**
North Wales Path. *Old C & L'faen*
  —6F **23**
N. Wales Path. *Pens* —5A **26**
N. Western Gdns. *L'no* —3H **15**
Norton Av. *Pres* —2C **30**
Norton Rd. *L'no* —3H **15**
Norton Rd. *R Sea* —1H **21**
Norwood Pas. *L'no* —3G **15**
Nursery Clo. *Pres* —3C **30**

Oak Dri. *Col B* —2H **21**
Oak Dri. Clo. *Col B* —2H **21**
Oak Hill Dri. *Pres* —4D **30**
Oak Hill La. *Pres* —4D **30**
  (in two parts)
Oakland Av. *Rhyl* —7A **28**
Oak La. *St As* —5C **38**
Oaklea. *Kin B* —4J **27**
Oaklea Ct. *Rhyl* —7E **28**
Oakville Av. *Rhyl* —5E **28**
Oakwood Rd. *Rhyl* —5D **28**
Ochr y Bryn. *Pres* —2C **30**
Offa's Dyke Path. *Gwae* —6D **30**
Off Hill St. *Men B* —2K **9**
Ogwen Av. *Kin B* —2K **27**
Ogwen Ter. *L'faen* —5K **23**
Old Conway Rd. *Moch* —4E **20**
Old Foryd Rd. *Kin B* —1J **27**
Old Gate. *Pres* —3J **29**
Oldgate Rd. *Pres* —3J **29**
Old Golf Rd. *Rhyl* —4D **28**
Old Highway. *Col B* —3F **21**
Old Mill Rd. *D'chi* —6J **13**
Old Rd. *Con* —5F **19**
Old Rd. *L'no* —2F **15**
Olinda St. *Rhyl* —5C **28**
Oliver Jones Dri. *Pen B* —5C **16**
Olivia Dri. *Rhyl* —4D **28**
Orchard Gro. *Moch* —3F **21**
Orchard, The. *Men B* —1K **9**
Orme Av. *R Sea* —5H **17**
Orme Rd. *Moch* —3E **20**
Ormeside. *P'side* —5C **16**
Orme Ter. *Ban* —3C **10**
  (off Stryd Belmont)
Orme Vw. *Moch* —4E **20**
Orme Vw. Dri. *Pres* —5D **30**
Ormonde Ter. *L'no* —2E **15**
Orton Gro. *Rhyl* —7A **28**
Osborne Gro. *Rhyl* —7A **28**
Osborne Ter. *Ban* —1F **11**
Oswald Rd. *Llan J* —5K **19**
Oswalds. *Ban* —2C **10**
  (off Heol Victoria)
Oval, The. *L'no* —3F **15**
Overlea Av. *Deg* —3H **19**
Overlea Cres. *Con* —3H **19**
Overton Av. *Pres* —3A **30**
Owain Glyndwr. *Kin B* —3J **27**
Owain Gwynedd. *Kin B* —3J **27**
Owen Clo. *Rhyl* —1D **32**
Oxford Clo. *Rhyl* —6B **28**
Oxford Rd. *L'no* —4G **15**
Oxwich Rd. *Moch* —3F **21**

Pabo La. *Llan J* —3B **20**
Paddock, The. *Pres* —6C **30**
Paddock, The. *St As* —6C **38**
Palace Av. *Rhyl* —6A **28**
Palmeira Gdns. *Pres* —4D **30**
Pandy Av. *Kin B* —4A **32**
Pandy La. *Dys* —3C **34**
Pant Glas. *St As* —3A **38**
Panton St. *Ban* —2E **10**
Pant Teg. *Deg* —4J **19**
Pant-yr-Afon. *P'awr* —2J **13**
Parade, The. *L'no* —3G **15**
Paradise Cres. *P'awr* —2J **13**
  (off Brynmor Ter.)
Paradise Rd. *P'awr* —2J **13**
Paradise St. *Rhyl* —6B **28**
Parc Aberconway. *Pres* —3F **31**
Parc Benarth. *Con* —7F **19**
Parc Bodnant. *L'no* —5H **15**
Parc Bron Deg. *Dys* —4B **34**
Parc Bryn Awelon. *Old C* —4F **23**
Parc Cambria. *Col B* —4F **23**
Parc Edith. *Rhud* —5F **33**
Parc Esmor. *Rhyl* —5D **28**
Parc Ffordd Las. *Rhyl* —7C **28**
Parc Ffynnon. *L'faen* —5K **23**
Parc Foel Lus. *P'awr* —2K **13**
Parc Glan Aber. *Aber* —5J **25**

Parc Gwelfor. Dys —2B 34
Parc Gwynedd. Pen B —4D 16
Parc Henblas. L'chan —5B 12
Parc Hyde. Kin B —4J 27
Parciau Clo. Old C —4D 22
Parc Isaf. L'chan —4B 12
Parc Menai. L'chan —4B 12
Parc Nant Rd. L'chan —6C 12
Parc Offa. Trel —2J 35
Parc Sychnant. Con —6E 18
Parc Twr. L'yll —3E 8
Parc Victoria. Ban —2C 10
Parc-y-Lleng. Rhud —5E 32
Park Av. Bod —3D 36
Park Dri. Deg —3H 19
Park Dri. Rhyl —6D 28
Pk. Dyffryn Ind. Est. Pres —3C 30
Park Elen. Kin B —4J 27
Park Gro. Aber —4J 25
Park La. L'no —4K 15
Park Luned. Kin B —4J 27
Park M. Deg —3G 19
Park Rd. Col B —3A 22
Park Rd. Deg —3H 19
Park Rd. L'chan —6B 12
Park St. Ban —2D 10
Park Ter. Deg —3H 19
Parkway. R Sea —6H 17
Parliament St. Rhud —5E 32
Patagonia Av. Rhyl —6D 28
Patrick Av. Rhyl —1E 32
Peel St. Aber —5K 25
Pencae. L'fan —6B 6
Penchwintan Ter. Ban —4B 10
Pencoed Av. L'las —5B 24
Pencoed Rd. L'las —5B 24
Pen Deitsh. C'fon —4C 4
Pendorlan. Rhud —5E 32
 (off Castle St.)
Pendorlan Av. Col B —3A 22
Pendorlan Rd. Pen B —5F 17
Pendre Av. Pres —3D 30
Pendre Av. Rhyl —7E 28
Pendre Rd. P'side —4C 16
Pen Dyffryn. Llan J —4A 20
Pendyffryn Gdns. Pres —3D 30
Pendyffryn Rd. Pen B —7D 28
Pendyffryn Rd. N. Rhyl —6E 28
Pengarth. Con —6E 4
Pengelli Wyn. C'fon —2F 5
Peniel St. Deg —3G 19
Penisaf Av. Tow —4E 26
Penlan. Aber —4K 25
Penlan. L'no —1F 19
Pen Lan. Tow —4E 26
Penley Av. Pres —3A 30
Penllyn. C'fon —4D 4
 (in two parts)
Pen Llyn. Pens —3K 25
Penlon. Men B —1H 9
Penlon Gdns. Ban —2F 11
Penmaen Ct. R Sea —1G 21
Penmaen Cres. Con —4E 18
Penmaen Cres. Maisonettes. Con
  —4E 18
Penmaenmawr Rd. L'chan —5B 12
Penmaen Rd. Con —4D 18
Pen Morfa. Con —6E 4
Pennant Ct. L'no —5H 15
Pennant Cres. Ban —4C 10
Pennant Gro. Pres —1D 30
Pen Rallt. Men B —1J 9
Penrallt Isaf. Ban —2D 10
Penrallt Isaf. C'fon —4D 4
Penrallt Uchaf. C'fon —4D 4
Penrhiw. Aber —6J 25
Penrhos. Aber —4K 25
Penrhos Av. Llan J —5K 19
Penrhos Av. Old C —4F 23
Penrhos Dri. Ban —4B 10
Penrhos Dri. Pen B —5E 16
Penrhos Rd. Col B —1K 21
Penrhyn Av. R Sea —5G 17
Penrhyn Beach. Pen B —4D 16
Penrhyn Beach E. Pen B —3E 16
Penrhyn Beach W. Pen B —4D 16
Penrhyn Clo. Pen B —4D 16
Penrhyn Cres. L'no —3H 15
 (off Parade, The)
Penrhyn Dri. R Sea —5G 17
Penrhyn Hill. P'side —4C 16
Penrhyn-Isaf Rd. Pen B —5E 16
Penrhyn Madoc. L'no —6D 16

Penrhyn Old Rd. P'side & Pen B
 (in two parts)
  —5C 16
Penrhyn Pk. Pen B —5E 16
Penrhyn Pk. R Sea —6H 17
Penrhyn Rd. Col B —2K 21
Pensarn Ind. Est. Aber —3J 25
Pen Tir. Pen B —4E 16
Pentraeth. Col B —4G 23
Pentre Av. Aber —5K 25
Pentregwyddel Rd. L'faen —5J 23
Pentregwyddel Ter. L'faen —5K 23
Pentre Isaf. Old C —6E 22
Pentre La. Gron —3K 31
Pentre La. Rhud —4F 33
Pentre Mawr. Aber —4K 25
Pentre Newydd. C'fon —4D 4
Pentre Newydd. Old C —5D 22
Pentre Ucha. Aber —5K 25
Pentre Uchaf. L'chan —6B 12
Pen Tywyn. Pres —3B 30
Pentywyn Rd. Con & Deg —3H 19
Pen-y-Berth. L'yll —3F 9
Pen-y-Bont Rd. L'nin —7D 16
Pen-y-Bryn. C'fon —2F 5
Penybryn. L'chan —6B 12
Pen-y-Bryn. Old C —4D 22
Pen-y-Bryn Rd. Col B —4H 21
Penybryn Rd. L'chan —5B 12
Pen-y-Cefndy. Rhyl —1D 32
Pen y Cwm. L'no —5G 15
Pen-y-Ffordd Ter. P'side —4D 16
Pen-y-Gaer. Deg —3H 19
Pen y Garreg La. Pen B —4D 16
Pen-y-Garth. C'fon —3D 4
Pen-y-Llys. Rhyl —6F 29
Pen-y-Maes. Aber —4K 25
Pen-y-Maes. Pres —7C 30
Pen-y-Maes Av. Rhyl —7F 29
Pen-y-Mynydd. Col B —4H 21
Pen-y-Parc. P'side —4C 16
Pen-y-Wern. Ban —5B 10
Pepper La. C'fon —4C 4
 (off Cei Banc)
Peris Av. Tow —3F 27
Peters Clo. Pres —5C 30
Peulwys Av. Old C —5C 22
Peulwys La. Old C —6D 22
Peulwys Rd. Old C —4E 22
Pine Ct. Col B —5H 21
Pine Gro. R Sea —6H 17
Pine Gro. Ct. R Sea —6H 17
Pinetree Wlk. Rhyl —5E 28
Pinfold Workshops. Rhyl —1C 32
Plas Adda. Ban —4C 10
Plas Av. Pres —3D 30
Plas Bach. Kin B —2J 27
Plas Brynmor. P'awr —2J 13
Plas Coch Ter. Beau —1J 7
 (off Church St.)
Plas Cyril. Rhyl —7C 28
Plas Eithin. Col B —2H 21
Plas Foryd. Kin B —1J 27
Plas Gorphwysfa. Pres —2C 30
Plas Gwilym. Old C —4F 23
Plas Gwyn Rd. L'chan —5B 12
Plasllwyd Ter. Ban —2E 10
Plas Mona. L'yll —2D 8
Plas Newydd. L'no —4K 15
Plas Newydd Bldgs. Aber —5K 25
Plas Newydd Dri. Pres —3K 29
Plas Penrhyn. Pen B —5D 16
Plas Rd. L'no —2F 15
Plas Rd. Rhyl —6E 28
Plastirion. Tow —4E 26
Plastirion Av. Pres —3D 30
Plastirion Dri. Pres —3E 30
Plastirion Pk. Tow —4E 26
Plas Tre Marl. Llan J —4J 19
Plas Tudno. Pen B —5D 16
Plas Twthill. C'fon —4D 4
 (off Pentre Newydd)
Plas Uchaf. Pres —4D 30
Plas Wtyta. Col B —4D 22
Plas-y-Brenin. Rhud —5F 33
Plas-y-Brenin. Rhud —6B 28
Plas y Bryn. Aber —7J 25
Plas y Gerddi. Ban —2G 11
Pleasant Pl. Aber —5K 25
Pleasant St. L'no —4J 15
Pleasant Vw. Old C —4F 23
Pont Rewle. C'fon —3C 4
 (off Pretoria Ter.)
Pont y Ffridd. C'fon —4C 4
Pool Hill. C'fon —4D 4
 (off Penllyn)
Pool La. Con —5F 19
Pool St. L'chan —5B 12

Poplar Gro. Pres —3B 30
Poplars Dri. Rhyl —7D 28
Porth Waterloo. C'fon —1E 4
Porth-y-Llys. Rhyl —6F 29
Powys Rd. L'no —5C 30
Prestatyn-Dyserth Walkway. Pres
  —5D 30
Prestatyn Rd. Pres —2E 30
Pretoria Ter. C'fon —4C 4
Primrose Hill. St G —3A 36
Primrose Pas. L'no —4K 15
Prince Edward Av. Rhyl —6C 28
Princes Av. Pres —4C 30
Princes Dri. Col B —2J 21
Princes Dri. L'no —4K 15
Princes Pk. Rhud —6F 33
Princes Rd. Rhud —5E 32
Princess Av. R Sea —7G 17
Princess Ct. Col B —2K 21
Princess Elizabeth Av. Rhyl —5D 28
Princess Rd. Old C —5D 28
Princes St. Rhyl —6B 28
Promenade. Aber —3J 25
Promenade. Col B —2A 22
Promenade. Deg —1F 19
Promenade. L'no —3E 14
Promenade. L'chan —4B 12
Promenade. Pres —3H 29
Promenade, The. Kin B —2G 27
Promenade, The. L'no —2G 15
Prospect Ter. L'no —2F 15
Purbeck Av. Pres —3A 30
Pwll-y-Bont. Pres —6B 30
Pwllycrochan Av. Col B —3J 21
Pydew Rd. Bryn P —3B 20
Pyllau Rd. L'no —1E 14

Quay St. Rhyl —1K 27
Queen Elizabeth Ct. L'no —4J 15
Queen's Av. Col B —3K 21
Queens Av. Old C —3E 22
Queen's Dri. Col B —3J 21
Queens Gdns. L'no —5J 15
Queens Pk. Col B —3K 21
Queens Rd. Aber —5J 25
Queen's Rd. L'no —6J 15
Queen's Rd. Llan J —5K 19
Queen's Rd. Old C —3E 22
Queens Shop. Cen. Rhyl —5B 28
Queen St. Rhyl —6B 28
Queen's Wlk. Rhyl —5C 28
Queensway. Aber —3K 25
Queensway. L'no —5J 15
Queensway. Old C —3E 22
Queensway. Pres —3D 30

Rachel Dri. Rhyl —1F 33
Raglan St. Beau —2K 7
Rathbone Pas. L'no —3F 15
Rathbone Ter. Deg —2G 19
Rating Row. Beau —1J 7
Rayleigh Av. Old C —4C 22
Rectory La. Gwae —6F 31
Rectory La. L'no —3F 15
Red Gables. P'awr —2H 13
Red Hill. St As —5C 38
Redlands Clo. Pen B —5E 16
Redwood Dri. Rhyl —5D 28
Rees Av. Rhyl —5D 28
Reform St. L'no —3G 15
Regent Rd. Rhyl —5D 28
Regent St. Ban —2D 10
Rhes Alexandra. C'fon —3D 4
Rhesdai Clarke. C'fon —4D 4
 (off Stryd William)
Rhesdai Hafod. C'fon —4D 4
 (off Lon Ysgol Rad, in two parts)
Rhes Gwstenin. C'fon —5D 4
Rhes Penllys. Ban —2D 10
Rhes Priordy. C'fon —4C 4
 (off Pretoria Ter.)
Rhes Segontiwm. C'fon —4C 4
Rhes Seiriol. Ban —1F 11
Rhes Tan y Bryn. Ban —3E 10
Rhes Tan-y-Bryn. L'no —4K 15
Rhiw Bank Av. Col B —3A 22
Rhiw Grange. Col B —4A 22
Rhiwlas. Aber —6J 25
Rhiwledyn. L'no —3B 16
Rhiw Rd. Col B —4K 21
Rhodfa Anwyl. Rhud —4E 32
Rhodfa Arthur. Trel —2H 35
Rhodfa Bedwen. Pres —2F 31
Rhodfa Belmont. Ban —3B 10
Rhodfa Celyn. Pres —2F 31

Rhodfa Conwy. Dys —2B 34
Rhodfa Cregyn. Aber —5B 26
Rhodfa Criccieth. Bod —3F 37
Rhodfa Derwen. Pres —2F 31
Rhodfa Ganol. Pres —7B 30
Rhodfa Glenys. St As —5C 38
Rhodfa Gofer. Dys —2B 34
Rhodfa Gop. Trel —2J 35
Rhodfa Graig. Pres —7B 30
Rhodfa Greenwood. Ban —3F 11
Rhodfa Heilyn. Dys —2B 34
Rhodfa Hendre. Pres —7B 30
Rhodfa Kingsley. Ban —3F 11
Rhodfa Lwyd. L'faen —5K 23
Rhodfa Maen Gwyn. Rhyl —7F 29
Rhodfa Maes Hir. Rhyl —7F 29
Rhodfa Menai. Ban —2C 10
Rhodfa Nant. Tow —4E 27
Rhodfa Pedr. Dys —2B 34
Rhodfa Penrhos. Ban —5A 10
Rhodfa Penrhyn. Ban —4F 11
Rhodfa Plas. Pres —7B 30
Rhodfa Plas Coed. Rhyl —6F 29
Rhodfa'r Esgob. Ban —2F 31
Rhodfa'r Frenhines. Ban —4F 11
Rhodfa'r Grug. Col B —4J 21
Rhodfa Ronald. Bod —2E 36
Rhodfa'r Paun. Ban —1E 10
Rhodfa Sant Elian. Col B —6D 22
Rhodfa Sian. Dys —4B 34
Rhodfa Sychnant. Con —6E 18
Rhodfa Wen. L'faen —6K 23
Rhodfa Wyn. Pres —2A 30
Rhos Fawr. Aber —5B 26
Rhosfryn. Ban —7J 9
Rhos Gwyn. Col C —4E 22
Rhos Ind. Pk. R Sea —6G 17
Rhoslan. Rho —4G 5
Rhoslan Pk. Col B —2K 21
Rhos Manor. R Sea —6J 17
Rhos Promenade. R Sea —7J 17
Rhos Rd. R Sea —7G 17
Rhos Uchaf. Ban —6K 9
Rhos-y-Gad. L'yll —3D 8
Rhuddlan Av. L'no —5H 15
Rhuddlan Rd. Aber —6K 25
Rhuddlan Rd. Bod —3F 37
Rhuddlan Rd. Rhyl —7D 28
Rhyd Dri. R Sea —5G 17
Rhyd Menai. Men B —2J 9
Rhydwen Clo. Rhyl —1B 32
Rhydwen Dri. Rhyl —7A 28
Rhyd-y-Foel Rd. L'las —7C 24
Rhyl Coast Rd. Rhyl —4D 28
Rhyl Rd. Rhud —5E 32
Rhys Av. Kin B —2G 27
Rhys Evans Clo. Pen B —5D 16
Ridgway Av. Rhyl —4E 28
Riverside Clo. Kin B —2J 27
Riverside Ct. Deg —1F 19
River St. Rhyl —6A 28
River Vw. Ter. Llan J —5K 19
 (off Ffordd Maelgwn)
Riviere Av. L'no —4J 15
Riviere's Av. Col B —3K 21
Rochester Dri. Pres —4B 30
Rochester Way. R Sea —6G 17
Rockfield Dri. L'no —1F 19
Rock Villa Rd. P'awr —2H 13
Roe Parc. St As —5B 38
Roe, The. St As —4B 38
Rofft Pl. L'no —2F 15
Roland Av. Kin B —2H 27
Ronald Av. Llan J —5K 19
Ronaldsway. Rhyl —1D 32
Rosebery Av. L'no —4K 15
Rosedale Gdns. Rhyl —1F 33
Rose Hill. Beau —1J 7
 (off Gaol St.)
Rose Hill. Old C —4D 22
Rosehill Rd. Rhyl —1E 32
Rose Hill St. Con —6G 19
Rosemary Av. Col B —4A 22
Rosemary La. Beau —1J 7
Rosemary La. Con —6F 19
Rosemount Av. Kin B —1H 27
Roseview Cres. Kin B —2J 27
Roslin Gdns. L'no —4K 15
Roumania Cres. L'no —4K 15
Roumania Dri. L'no —4K 15
Roundwood Av. Pres —6B 30
Rowan Dri. Rhyl —1F 33
Royal Welch Av. Bod —4E 36
Roy Av. Pres —3H 29
Royd Ter. R Sea —1H 21
Ruby Ter. St As —6B 38
Russell Av. Col B —4K 21

Russell Dri. *Pres* —3K **29**
Russell Gdns. *Rhyl* —5C **28**
Russell Rd. *Rhyl* —6B **28**

St Agnes Rd. *Con* —6F **19**
St Andrew's Av. *L'no* —4F **15**
St Andrews Dri. *Pres* —4C **30**
St Andrew's Pl. *L'no* —3F **15**
St Andrews Rd. *Col B* —5J **21**
St Anne's Av. *Pres* —5A **30**
St Annes Ct. *L'no* —1J **19**
St Anne's Gdns. *L'no* —1J **19**
St Anns St. *Rhyl* —6C **28**
St Asaph Av. *Kin B* —1H **27**
St Asaph Bus. Pk. *St As* —5J **37**
St Asaph Dri. *Pres* —5B **30**
St Asaph Rd. *Dys* —5B **34**
St Asaph Rd. *Rhud* —7E **32**
St Asaph Rd. *St G* —2A **36**
(in two parts)
St Asaph St. *Rhud* —5C **28**
St Barbara's Av. *Bod* —3D **36**
St Brelade's Dri. *Pres* —4C **30**
St Bueno's. *L'no* —2E **14**
St Catherine's Dri. *Old C* —4D **22**
St Chads Way. *Pres* —5B **30**
St David's Av. *Llan J* —4K **19**
St Davids Clo. *Pen B* —5D **16**
St David's Pl. *L'no* —4G **15**
St Davids Rd. *Aber* —5H **25**
St Davids Rd. *L'no* —3F **15**
St David's Rd. *Old C* —4F **23**
St David's Rd. *P'awr* —2H **13**
St David's Rd. *Pen B* —5D **16**
St Davids Sq. *Rhyl* —7C **28**
St Davids Ter. *P'awr* —2J **13**
St Elmo's Dri. *Pres* —4D **30**
St George Rd. *Aber* —6K **25**
St George's Cres. L'no —3G 15
(off Parade, The)
St Georges Cres. *Rhyl* —5D **28**
St Georges Dri. *Deg* —4H **19**
St Georges Dri. *Pres* —4C **30**
St Georges Pl. *L'no* —3G **15**
St Georges Rd. *R Sea* —7H **17**
St Hilary's Ct. *Deg* —4H **19**
St Hilary's Dri. *Deg* —3H **19**
St Hilary's Rd. *L'no* —6J **15**
St James Dri. *Ban* —3D **10**
St James Dri. *Pres* —4A **30**
St Johns Cres. *Old C* —4D **22**
St Johns Pk. *P'awr* —2H **13**
St Johns Pk. E. *P'awr* —2H **13**
St Johns Pk. W. *P'awr* —2H **13**
St Margarets Av. *Pres* —5A **30**
St Margaret's Dri. *L'no* —4K **15**
St Margaret's Dri. *Rhyl* —7D **28**
St Margarets Rd. *Llan J* —5K **19**
St Mary Av. *Ban* —2E **10**
St Mary's Ct. *Rhyl* —5C **28**
St Mary's Dri. *Rhyl* —7D **28**
St Mary's Rd. *L'no* —3G **15**
St Pauls Clo. *Col B* —3K **21**
St Pauls Ter. *Ban* —3D **10**
St Seiriol's Gdns. *L'no* —4F **15**
St Seiriol's Rd. *L'no* —4F **15**
St Tudno's Rd. *L'no* —1D **14**
St Winifreds Clo. *L'chan* —5B **12**
Salem Ter. *Rhyd* —7C **24**
Salisbury Ct. *St G* —3F **15**
Salisbury Dri. *Pres* —4A **30**
Salisbury Pas. *L'no* —3F **15**
Salisbury Rd. *L'no* —3F **15**
Sandbank Rd. *Tow* —3E **26**
Sandfield Pl. *Rhyl* —7A **28**
Sandhills Rd. *Old C* —4D **22**
Sandhurst Rd. *Pres* —3A **30**
Sandiway. *Pres* —3J **29**
Sandringham Av. *Rhyl* —6A **28**
Sandy La. *Pres* —2C **30**
Sarn La. *Rhud* —2G **37**
Saunders Way. *Rhyl* —1D **32**
School La. *L'no* —3F **15**
School La. *P'awr* —2J **13**
Seabank Dri. *Pres* —3A **30**
Sea Bank Rd. *Col B* —1K **21**
Seabank Rd. *Pres* —7A **28**
Seafield Dri. *Aber* —5B **26**
Seafield Rd. *Col B* —4K **21**
Sea Rd. *Aber* —4J **25**
(in three parts)
Sea Rd. *Pres* —3E **30**
Sea Vw. Ct. *Kin B* —2G **27**
Sea Vw. Rd. *Col B* —2A **22**
Seaview Ter. *Con* —5G **19**

Second Av. *Pres* —1B **30**
Second Av. *R Sea* —6G **17**
Sefton Rd. *Old C* —4E **22**
Sefton Ter. *Deg* —2F **19**
Seven Sisters Rd. *Pres* —2C **30**
Severn Rd. *Col B* —5B **22**
Seymour Dri. *Rhud* —5F **33**
Shaftesbury Av. *Pen B* —5D **16**
Shamrock Ct. *Con* —3J **19**
Shamrock Ter. *Deg* —3J **19**
Shaun Clo. *Rhyl* —1E **32**
Shaun Dri. *Rhyl* —1E **32**
Sherwood Av. *Rhyl* —4H **29**
Sholing Dri. *Rhyl* —5E **28**
Shore Rd. *Gron* —1H **31**
Shore Rd. *L'chan* —4B **12**
Shore Rd. E. *L'chan* —4B **12**
Silverdale Ter. St As —5C 38
(off Mill St.)
Singleton Cres. *Moch* —3F **21**
Sisson St. *Rhyl* —7C **28**
Skerryvore Rd. *Bryn P* —2A **20**
Smith Av. *Old C* —4C **22**
Snowden Vs. *Ban* —2D **10**
Snowdon Vw. *Ban* —2D **10**
Somerset St. *L'no* —3G **15**
South Av. *Pres* —3C **30**
South Av. *Rhyl* —7A **28**
South Dri. *Rhyl* —1E **32**
S. Kinmel St. *Rhyl* —6B **28**
Southlands Rd. *Kin B* —1J **27**
South Pde. *L'no* —2G **15**
South Pde. *Pens* —3K **25**
South Pl. *R Sea* —6H **17**
South St. *L'chan* —3C **12**
Springdale. *Col B* —6E **22**
Spring Gdns. *Aber* —5J **25**
Spruce Av. *Rhyl* —5E **28**
Square, The. *Kin B* —2H **27**
(nr. Foryd Rd.)
Square, The. *Ban* —3J **27**
(nr. Park Av.)
Stad Foel Graig. *L'yll* —3E **8**
Stad Garnedd. *Star* —2A **8**
Stamford St. *Deg* —3H **19**
Stanley Oak Rd. *Llan J* —5K **19**
Stanley Pk. *Rhyl* —7E **28**
Stanley Rk. Av. *Rhyl* —7E **28**
Stanley St. *Beau* —1J **7**
Stanmore St. *Rhyl* —7A **28**
Station Rd. *Col B* —4B **22**
Station Rd. *Col B* —3K **21**
Station Rd. *Deg & Moch* —3E **20**
Station Rd. *Deg* —2F **19**
Station Rd. *L'las* —4B **24**
Station Rd. *L'chan* —4B **12**
Station Rd. *L'yll* —3D **8**
Station Rd. *Pres* —2C **30**
Station Rd. *Rhud* —6E **32**
Station Rd. E. *P'awr* —1J **13**
Station Rd. W. *P'awr* —2J **13**
Station St. *Aber* —3K **25**
Station Ter. *Llan J* —5K **19**
Steeple La. *Beau* —1J **7**
Stephen Rd. *Pres* —4J **29**
Stephenson Clo. *Con* —3E **18**
Stephenson Clo. *Pen B* —5C **16**
Stephen St. *L'no* —3G **15**
Stoneby Dri. *Pres* —4D **30**
Strand St. *Ban* —1F **11**
Stryd Albert. *Ban* —2D **10**
Stryd Ambrose. *Ban* —2F **11**
Stryd Bangor. *C'fon* —4C **4**
Stryd Belmont. *Ban* —3C **10**
Stryd Capel Joppa. *C'fon* —5D **4**
Stryd Clarence. *Ban* —3C **10**
Stryd Deinol. *Ban* —2D **10**
Stryd Dinorwic. *C'fon* —4D **4**
Stryd Edmund. *Ban* —1F **11**
Stryd Fawr. *Ban* —3D **10**
Stryd Fawr. *C'fon* —4D **4**
Stryd Fawr. *Men B* —2K **9**
Stryd Fawr. *P'awr* —2G **13**
Stryd Garnon. *C'fon* —4D **4**
Stryd John Llwdd. *C'fon* —4D **4**
Stryd Marcws. *C'fon* —5D **4**
Stryd Marged. *C'fon* —4D **4**
Stryd Mari. *C'fon* —4D **4**
Stryd Mason. *Ban* —1F **11**
Stryd Newydd. *C'fon* —4D **4**
Stryd Niwbwrch. *C'fon* —4D **4**
Stryd Pedwara Chwech. *C'fon* —4C **4**
Stryd Robert. *Ban* —1F **11**
Stryd Robert. *C'fon* —3D **4**
Stryd Santes Helen. *C'fon* —5D **4**
Stryd Thomas. *C'fon* —4D **4**
Stryd Victoria. *Ban* —2D **10**

Stryd Victoria. *C'fon* —4D **4**
Stryd William. *Ban* —2F **11**
Stryd William. *Ban* —3K **9**
Stryd y Bont. *Men B* —3K **9**
Stryd-y-Capel. *Men B* —3K **9**
Stryd y Castell. *C'fon* —4C **4**
Stryd-y-Dderwen. *Aber* —5B **26**
Stryd y Degwen. *C'fon* —4D **4**
Stryd y Deon. *Ban* —2D **10**
Stryd y Faenol. *C'fon* —5D **4**
Stryd y Farchnad. *C'fon* —4C **4**
Stryd y Ffynon. *Men B* —2K **9**
Stryd-y-Gwynt. *Con* —5F **19**
Stryd y Jel. *C'fon* —4C **4**
Stryd y Llyn. *C'fon* —4D **4**
Stryd y Pistyll. *Ban* —1F **11**
Stryd y Plas. *C'fon* —4C **4**
Stryd y Porth Mawr. *C'fon* —4C **4**
Stryd yr Allt. *Ban* —2C **10**
Stryd yr Eglwys. *C'fon* —4D **4**
Stryd yr Hendre. *C'fon* —5D **4**
Stuart Dri. *R Sea* —7G **17**
Sudbury Clo. *Rhyl* —7B **28**
Sunningdale. *Aber* —4H **25**
Sunningdale Av. *Col B* —4H **21**
Sunningdale Dri. *Pen B* —5D **16**
Sunningdale Gro. *Col B* —4J **21**
Sunray Av. *Aber* —5B **26**
Susan Gro. *Pres* —3B **30**
Sussex St. *Rhyl* —6B **28**
Swan Rd. *Moch* —4E **20**
Swn y Dail. *Bod* —3E **36**
Swn-y-Don. *Col B* —5K **21**
Sycamore Cres. *Pres* —3D **30**
Sycamore Gro. *Rhyl* —5D **28**
Sychnant Pass Rd. *P'awr* —7K **13**
Sydenham Av. *Aber* —5K **25**
Sydenham Av. *Rhyl* —1K **27**
Sylva Gdns. N. *L'no* —4K **15**
Sylva Gdns. S. *L'no* —4K **15**
Sylva Gro. *L'no* —4K **15**

Tabor Hill. *L'no* —2F **15**
Tai Glangwna. *Cae* —6H **5**
Tai Lon. *L'yll* —3F **8**
Tair Felin. *St As* —5C **38**
Tai'r Mynydd. *Ban* —2E **10**
Talargoch Ind. Est. *Dys* —1B **34**
Taliesin St. *L'no* —3F **15**
Talton Ct. *Pres* —4E **30**
Talton Cres. *Pres* —3E **30**
Tal-y-Sarn. *Tre* —1F **5**
Tan Benarth. *Con* —7F **19**
Tanrallt. *C'fon* —4D **4**
Tanrallt Av. *Kin B* —5K **27**
(in two parts)
Tanrallt Cotts. *D'chi* —7H **13**
Tanrallt St. *Moch* —4F **21**
Tan Refail. *Deg* —2J **19**
Tan Rhiw. *Pen B* —4D **16**
Tan-y-Berllan. *Deg* —3J **19**
Tan y Bonc. *Men B* —3K **9**
Tan-y-Bont. *C'fon* —4C **4**
Tan y Bryn. *Ban* —5H **11**
Tan-y-Bryn. *Llan J* —4J **19**
Tan y Bryn. *St As* —5A **38**
Tan-y-Bryn Dri. *R Sea* —7G **17**
Tan-y-Bryn Rd. *L'no* —5K **15**
Tan-y-Bryn Rd. *R Sea* —7G **17**
Tan y Coed. *Maes* —4F **11**
Tan y Coed. *P'side* —5C **16**
Tan y Cwm. L'no —5G 15
(off Maes-y-Cwm)
Tan-y-Felin. *Con* —6G **19**
Tan y Ffordd. *L'wrn* —1A **6**
Tan-y-Foel. *Rhyd* —7C **24**
Tan y Fron. *Col B* —5B **22**
Tan-y-Fron. *Deg* —3H **19**
Tan-y-Fyn Went. *Ban* —2E **10**
Tan-y-Gaer. *Aber* —6H **25**
Tan-y-Gaer. *Deg* —2J **19**
Tan-y-Gopa Rd. *Aber* —6H **25**
Tan y Graig. *Ban* —4C **10**
Tan-y-Graig. *L'yll* —3D **8**
Tan-y-Graig Rd. *L'faen* —5H **23**
Tan y Lan Rd. *Old C* —3F **23**
Tan y Maes. *Ban* —4D **10**
Tan-y-Maes. *Llan J* —4A **20**
Tan-y-Maes. *Pres* —7C **30**
Tan y Marian. *L'las* —5B **24**
Tan-y-Marian Clo. *Gron* —3K **31**
Tan y Mur. C'fon —4C 4
(off Stryd yr Eglwys)
Tan-y-Mynydd. *Ban* —3F **11**
Tan-yr-Allt Av. *Moch* —3F **21**
Tan-yr-Allt Rd. *L'las* —4A **24**

Tan-yr-Eglwys Rd. *Rhud* —5E **32**
Tan-yr-Ogof Rd. *L'no* —2F **15**
Tan-yr-Wylfa. *Aber* —6H **25**
Tan-y-Wal. *Old C* —3F **23**
Tarleton St. *Rhyl* —6C **28**
Tarquin Dri. *Rhyl* —1F **33**
Taverners Ct. *L'no* —4F **15**
Tegfan. *Aber* —5B **26**
Telford Clo. *Con* —3E **18**
Tennis Ct. Rd. *Aber* —5A **26**
Terfyn Pella Av. *Rhyl* —3H **29**
Terrace Wlk. *L'chan* —7B **12**
(in two parts)
Terrence Av. *Rhyl* —7B **28**
Third Av. *Pres* —1B **30**
Thomas Av. *Dys* —3B **34**
Thomas Clo. *Beau* —1H **7**
Thomas Rd. *L'no* —3H **15**
Thornley Av. *Rhyl* —7E **28**
Thornton Clo. *Rhyl* —7B **28**
Thorpe St. *L'no* —4G **15**
Thorpe St. *Rhyl* —6C **28**
Tip La. *Pres* —4B **30**
Tir Estyn. *Deg* —3J **19**
Tir Llwyd Enterprise Pk. *Kin B* —5H **27**
Tir Llwyd Ind. Est. *Kin B* —6J **27**
Tom White Ct. *Pen B* —5C **16**
Toronnen. *Ban* —6B **10**
Tower Ct. *Rhyl* —1D **32**
Tower Gdns. *Rhyl* —1D **32**
Tower Way. *Aber* —6K **25**
Town Ditch Rd. *Con* —5F **19**
Townsend. *Beau* —2J **7**
Towyn Rd. *Aber* —5A **26**
Towyn Way E. *Tow* —4G **27**
Towyn Way W. *Tow* —5E **26**
Traeth Melyn. *Deg* —1F **19**
Traeth Penrhyn. *Pen B* —3E **16**
Trafford Pk. *Pen B* —4J **16**
Trawscoed Rd. *L'faen* —7K **23**
Tre Borth. *Pres* —2C **30**
Tree Tops Ct. *Rhud* —5F **33**
Treflan. *Ban* —3D **10**
Trefnant Av. *Kin B* —3J **27**
Trefonwys. *Ban* —3B **10**
Trefor Av. *Kin B* —2G **27**
Treforris Rd. *D'chi* —7H **13**
Tregaean. *P'edd* —5K **9**
Trehearn Dri. *Rhyl* —5D **28**
Trehwfa. *Ban* —5B **10**
Trellewelyn Clo. *Rhyl* —7E **28**
Trellewelyn Rd. *Rhyl* —7F **29**
(nr. Colin Dri.)
Trellewelyn Rd. *Rhyl* —7D **28**
(nr. Rhuddlan Rd.)
Trem Arfon. *L'fan* —5B **6**
Tre Marl Ind. Est. *Tre I* —5A **20**
Trem Cinmel. *Tow* —4F **27**
Trem Elidir. *Ban* —4B **10**
Trem Elwy. *Kin B* —2H **27**
Trem Eryri. *L'yll* —3D **8**
Trem Eryri. *Men B* —2J **9**
Trem-y-Bont. *Kin B* —2J **27**
Trem-y-Castell. *Tow* —5E **26**
Trem-y-Don. *L'faen* —4J **23**
Trem-y-Dyffryn. *Kin B* —4K **27**
Trem-y-Ffair. *Kin B* —2J **27**
Trem-y-Foryd. *Kin B* —2J **27**
Trem-y-Garnedd. *Ban* —4F **11**
Trem-y-Geulan. *Kin B* —2J **27**
Trem-y-Mor. *Aber* —6H **25**
Trem-y-Mynydd. *Aber* —5B **26**
Trem-yr-Afon. *Kin B* —2J **27**
Trem yr Afon. *Llan J* —5A **20**
Trem-yr-Harbwr. *Kin B* —2J **27**
Tre r Felin. *Ban* —5J **11**
Tre'r Gof. *C'fon* —4D **4**
Trevor Av. *Rhud* —4F **33**
Trevor Av. *Rhyl* —1D **32**
Trevor Rd. *Col B* —3B **22**
Trevor Rd. *Pres* —2C **30**
Trevor St. *L'no* —2F **15**
Trillo Av. *R Sea* —6J **17**
Trinity Av. *L'no* —4F **15**
Trinity Ct. *L'no* —4F **15**
Trinity Ct. Rhyl —6B 28
(off Russell Rd.)
Trinity Rd. *L'no* —5E **14**
Trinity Sq. *L'no* —3G **15**
Troed-y-Bwlch. *Deg* —2H **19**
Troon Clo. *Col B* —4J **21**
Troon Way. *Aber* —5H **25**
Troon Way. *Col B* —4J **21**
Tudno St. *L'no* —2F **15**
Tudor Av. *Pres* —3E **30**
Tudor Av. *Rhyl* —7D **28**